DVDでよくわかる

きれいをつくる

おっぱい体操

池田書店

CONTENTS

Part 3 おっぱいにやさしい生活で体質改善

DVDをご利用になる前に

【使用上のご注意】

● DVD ビデオは、映像と音声を高密度で記録したディスクです。DVD ビデオ対応のプレーヤーで再生してください。詳しくは、ご使用になるプレーヤーおよびテレビの取扱説明書を参照されたうえで、ご利用ください。

【取り扱い上のご注意】

● ディスクは､両面とも､指紋､汚れ､キズ等をつけないように取り扱ってください。
● ディスクが汚れたときは、メガネ拭きのようなやわらかい布で内周から外周に向かって放射線状に軽く拭き取ってください。
● ディスクは、両面とも、鉛筆やボールペン、油性ペン等で文字や絵を書いたり、シール等を貼らないでください。
● ひび割れや変形、または接着剤等で補修されたディスクは危険ですから絶対に使用しないでください。

【保管上のご注意】

● 直射日光が当たる場所や高温多湿の場所を避けて保管してください。
● 使用後は必ずプレーヤーから取り出し、DVD 専用のディスクケースに入れて保管してください。
● ディスクの上に物を置いたり、落としたりするとひび割れの原因になります。ご注意ください。

【鑑賞上のご注意】

● 本 DVD ビデオをご覧いただく際は、部屋のなかを明るくしてご覧ください。
● 暗い部屋で長時間続けてのご鑑賞は、健康上の理由から避けてください。

【著作権と免責事項】

● 本 DVD は、一般家庭での視聴を目的に販売されています。したがって、本 DVD ビデオおよびパッケージに関し、著作権者、頒布権者等の許諾なく、上記目的以外のご使用（レンタル、上映、放映、複製、変更、改作など）、その他の商行為（業者間の流通、中古販売など）をすることは、法律で禁止されています。
● 本 DVD を利用したことで、利用者が被った損害や損失、トラブルについて、池田書店は一切責任を負いません。

DVDの使い方

手順1 DVD をセットして トップメニューを表示させる

DVD を DVD プレーヤーに挿入すると、自動的にトップメニューが表示されます（プレーヤーによっては、自動的にトップメニューがはじまらない場合があります。その場合は、お使いのプレーヤーの取り扱い説明書をご覧ください）。トップメニューが表示されたら、カーソルを見たいエクササイズまで動かし、決定ボタンを押してください。さらに細かい項目画面が表示されます。

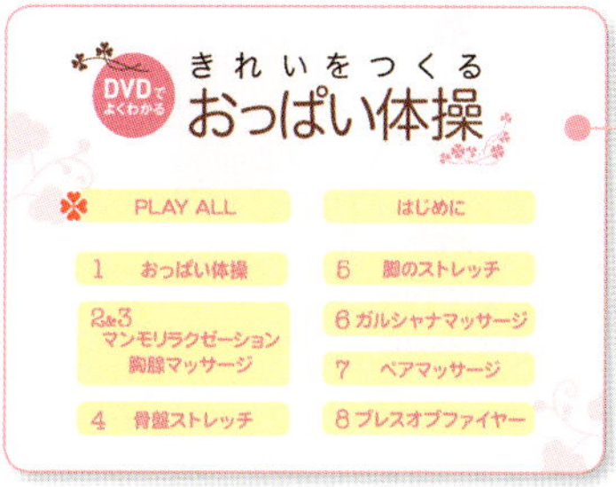

見たいエクササイズを選択し、決定ボタンを押します。「PLAY ALL」を選ぶと全編再生されます。

手順2 さらに見たい項目を選択する

見たいエクササイズのさらに細かい項目画面が表示されます。
カーソルを見たい項目まで動かし、決定ボタンを押します。

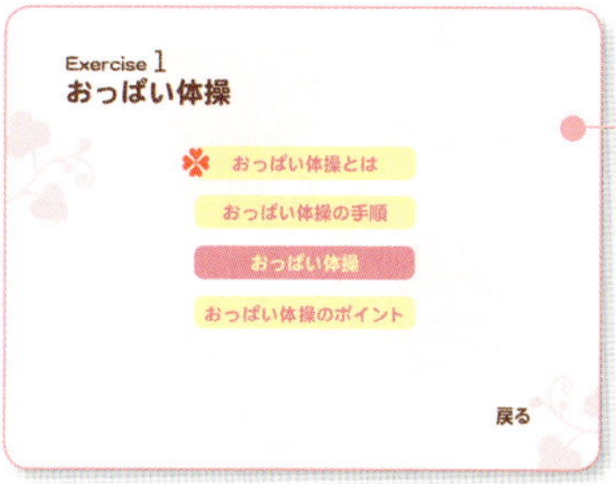

DVD のエクササイズの番号は、本書の各エクササイズの番号と対応しています。

はじめに

おっぱいが小さい、大きすぎる、左右の大きさが違う、垂れている……など、これらは女性なら誰もが一度は抱いたことがある悩みではないでしょうか。なんとか悩みを解消しようと、ブラジャーに頼ったり、筋トレを行った人もいませんか？

本書で紹介する「おっぱい体操」は、おっぱいの悩みを解消するために私が考案した体操です。おっぱい体操を続ければ、マシュマロのようにやわらかく、自由に動く美しいおっぱいが手に入ります。運動不足のおっぱいを朝と夜の一日2回、おっぱい体操によって揺らすことで、おっぱいの大きさや形の悩みは解消されるでしょう。

また、おっぱい体操には、血液、リンパの流れを改善して女性ホルモンのバランスを整える効果があります。女性ホルモンのバランスが整うと、女性が本来持っている女性らしさが生まれるだけでなく、生理痛や生理不順、肩こりや冷え症、更年期の不快症状も軽減されます。

このように、おっぱい体操には女性にとってうれしい効果がいっぱいつまっているのです。さらに、妊娠中や授乳期におっぱい体操を行うと母乳の質がよくなったり、心と身体のバランスも整えることができます。

おっぱい体操とともに、生活に取り入れてほしい生活習慣も紹介しているので、ぜひ取り入れてみて下さい。おっぱい体操を通じて、内側からも外側からも輝く、素敵な女性を目指しましょう。

神藤多喜子

Part
1

おっぱい体操できれいになろう

おっぱいを揺らして
きれいになる !?
そのメカニズムを知って、
今日からあなたもおっぱい体操で
ふわふわやわらかおっぱいを
手に入れましょう。

女性ホルモンは美と健康のバロメーター

おっぱい体操って何？

みなさんは普段、自分のおっぱいについて考えることはありますか？　おっぱいは、子宮、卵巣とダイレクトにつながっている、女性にとって大切な部分です。

卵巣では女性ホルモンがつくられており、生理前や排卵期におっぱいが張ったり、痛くなったりするのは、この女性ホルモンによるものです。女性ホルモンにはエストロゲンとプロゲステロンのふたつがあります。ホルモンバランスがとれているおっぱいは、弾力があってふわふわしており、子宮も同じように温かくふわふわになります。おっぱい体操でおっぱいを動かすことで、女性ホルモンのバランスが整えられると、生理不順といった女性特有のトラブルを改善することができます。おっぱい周辺の循環もよくなり、お肌もつやつやになります。

おっぱい体操は、女性の一生で起こるさまざまなトラブルや悩みに効果があります。おっぱい体操でふわふわなおっぱいをつくり、美と健康を手に入れましょう。

Mini Column

エストロゲンとプロゲステロン

月経後に分泌が高まるホルモンが「エストロゲン」。排卵をうながすホルモンです。一方、排卵後から分泌が高まるのが、「プロゲステロン」。黄体ホルモンとも呼ばれ、乳腺を発達させて子宮内膜を厚くするホルモンです。

おっぱい体操のうれしい効果

1 ホルモンバランスが整えられる

おっぱい体操には、生活習慣やストレスによって乱れやすい女性ホルモンのバランスを整える効果があります。

➡P66、P72へ

2 血液やリンパの流れを改善

おっぱい周辺の筋肉を刺激して循環機能を活性化すれば、血行がよくなり、冷え症の改善にもなります。

➡P15へ

3 おっぱいの大きさ形が変わる!

バストサイズは乳腺組織の隙間にある脂肪の量で決まります。おっぱい体操は、サイズアップだけでなく形を整える効果も。

➡P10、P12へ

4 顔のシワやたるみが激減!

おっぱい体操によって、大胸筋が鍛えられるので、首や顔のシワやたるみのトラブルも解決できます。

➡P15へ

5 美肌におどろきの効果あり!

美肌に欠かせない女性ホルモンのエストロゲンは、肌をしっとりつややかにしてくれるので、美肌も手に入ります。

➡P15へ

6 筋肉を動かして肩こり解消にも

おっぱい体操は、大胸筋、腕、首、肩甲骨などの筋肉を効率よく動かす運動なので、肩こりの解消も期待できます。

➡P15、P90へ

7 生理トラブルや更年期の症状を改善

体液循環のバランスを整える効果もあるので、生理痛を軽減したり、生理不順を改善することもできるのです。

➡P15、P71へ

8 乳がん、乳腺症などの予防にもなる!

体液の循環を改善することで、乳腺症や乳胞症にともなう痛みの緩和や、炎症の予防にもつながります。

➡P15へ

ガチガチおっぱいをふわふわに変える

きれいなおっぱいの法則

きれいなおっぱいとは、どんなおっぱいでしょう？　それは、弾力があって揺れるおっぱい。張りがあって垂れていないおっぱい。左右に広がっていないおっぱい。循環がよく、血色のいいおっぱいのことです。おっぱい体操を続けていくと、こんな素敵なおっぱいを手に入れることができます。

あなたのおっぱいは360度スムーズに動かすことができるでしょうか？　脇とおっぱいの下の部分が胸の筋肉にペタッと張りついて萎《い》縮《しゅく》し、動きが悪くなっているおっぱいを「ガチガチおっぱい」と呼んでいます。本当に美しいおっぱいというのは、見た目だけでなく、中身が肝心。身体の中を流れる血液やリンパ液、ホルモンのバランス、筋肉と脂肪の力によって、きれいなおっぱいが作り出されるのです。

おっぱい体操でしっかりと揺らしてあげれば、胸の筋肉に張りついていたおっぱいが自由になって、弾力もつき、「ふわふわのおっぱい」を取り戻すことができるのです。

Point　ガチガチのおっぱいとは

- ＊ おっぱいが胸の筋肉に張りついて萎縮しているおっぱい
- ＊ 360 度自由に動かないおっぱい
- ＊ 冷えて、血色の悪くなってしまっているおっぱい

ガチガチのおっぱいから ふわふわのおっぱいに

二足歩行をするようになって、人間のおっぱいは重力に負けて下へ外へとひずんでしまいました。また、姿勢を正して、胸を張って歩かないと腕を振ることも少なくなってしまいます。これでは、血行が悪くなり、おっぱいが萎縮して大胸筋に張りつくのは当たり前です。

まずは、「血行をよくする」こと。血液循環がいいと、おっぱいの脂肪に栄養と酸素が届き、温かいおっぱいになります。ふたつめに、「おっぱい外し（P42参照）」でおっぱいの動きをよくすればふわふわおっぱいへと変化します。

きれいなおっぱいの条件5か条

1 しっかり揺れる

揺れるおっぱいは、血液やリンパ液の循環がよくなり、肩こりや頭痛とも無縁です。

2 垂れていない

垂れるのは、靭帯《じんたい》の弾力の低下が原因。大胸筋や靭帯の弾力、収縮力が必要です。

3 広がっていない

360度自由自在に動くことのできるおっぱいなら、左右に広がることはありません。

4 血液やリンパ液の循環がいい

ブラジャーに圧迫されると、血液やリンパ液の循環が悪くなるので、改善しましょう。

5 見た目の血色がいい

体液の循環がよくなると、おっぱいの血色もよくなり、首や顔の老化防止にも◎。

おっぱい体操で美しいおっぱいを手に入れる

おっぱいのベストバランスとは？

日本人女性のおっぱいは、ふんわり丸いお椀型が一般的です。欧米人とは筋肉量が違うので、深い谷間のあるおっぱいにはなれないのが現実です。しかし、おっぱい体操や、常に胸を張って歩くことを心がければ、大胸筋が鍛えられるので、近づくことはできます。

日本人女性は欧米人に比べて、ほとんどの人が一日中ブラジャーを着けて生活しています。ブラジャーにおっぱいを押しこめて、ワイヤーでアンダーを締めつけていると、血行不全の原因になります。そうはいっても、垂れてきたおっぱいを少しでも上の位置に見せるためにブラジャーを着ける生活を変えることは難しいかもしれません。

しかし、脂肪は働きかけることで、何歳になっても、形を変えてくれるもの。だから、おっぱい体操を続けることによって、理想の位置に近づけることができるのです。きれいなおっぱいは、ベストバランスによって決まります。おっぱいのベストバランスをここで確認しておきましょう。

Point　理想的なおっぱいの位置

- ＊ 欧米人とは、もともとの筋肉量が違うので、深い谷間のあるおっぱいになるのは難しい
- ＊ それでも、大胸筋を鍛えれば、理想的なおっぱいに近づける
- ＊ 理想的なおっぱいとは、鎖骨の中央と乳首を結ぶ線が、逆正三角形になり、肩からひじの長さの 1/2 のラインにバストトップがあること

ベストバランスをチェック！

鏡の前で、自分のおっぱいのベストバランスをチェックしてみましょう。
ここで紹介するふたつのポイントをクリアできていれば、
形のよい理想的なおっぱいといえます。

逆正三角形になっている?

鎖骨の中央と左右の肩を結んだラインと、乳首を結ぶラインが、右の図のように逆正三角形になるのが、ベストバランス。

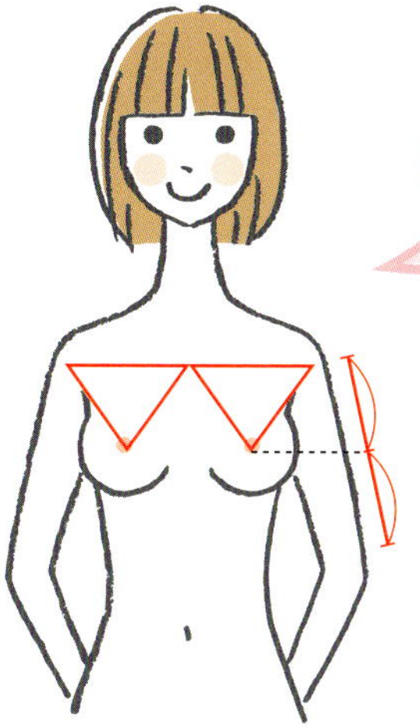

上腕の1/2にトップがくる?

肩からひじの長さの1/2のラインにバストトップがあるのが、理想的なポジション。

おっぱいが垂れたり、広がる理由

乳腺がしぼむと、おっぱいが垂れてしまいます。また、欧米人に比べて大胸筋が弱い日本人のおっぱいは、左右に広がりやすい傾向があります。おっぱいを大きく、小さくと変化をつけて揺らしてあげることで、弾力を強化し、左右に広がったり垂れたりしないおっぱいに変えることができます。

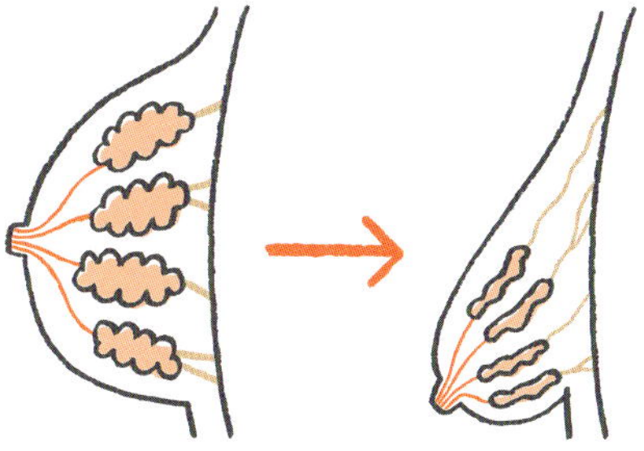

乳腺とは、おっぱいの中にある外分泌腺で、乳管を持つ腺のことです。この乳腺がしぼみ、おっぱいを支える靭帯が伸びると、おっぱいが垂れます。

冷え症・肩こり・むくみなどを改善

身体の内側からきれいになれる

おっぱい体操を続けていると、さまざまな効果が実感できます。目で見てわかるおっぱいの形や大きさだけでなく、内側から変えていくのがおっぱい体操の魅力です。

血液を全身に循環させるために24時間休みなくはたらいているのが、心臓です。また、リンパ液は身体を動かして筋肉を収縮させることで、全身に循環されます。しかし、身体を動かしてあげないと、血液やリンパ液の循環が悪くなり、肩こりや冷え症、むくみなどの原因にもなってしまいます。

そこで、心臓に近いおっぱいを動かすことで、全身の血液とリンパ液の流れを改善するのです。また、おっぱい体操には、ホルモンバランスを整える効果もあります。生理不順の改善だけでなく、生理痛や出血量の軽減などの効果が期待できます。さらに、うれしい美肌効果やおっぱいのまわりの病気の予防など、女性特有の悩みを改善・軽減してくれる心強いストレッチなのです。

Point　体液の循環が悪いと……

- ＊血管が細くなり、熱の発散を防ごうとして肩こりにつながる
- ＊ホルモンバランスが崩れて、生理痛やつやのない肌の原因に
- ＊むくみは塩分や水分のとりすぎによって起こる。しかし、体液の循環が悪いのも原因のひとつ

女性の悩みを解決する、おっぱい体操の魅力

おっぱい体操によって、「病院に行くほどではないけれど……」といった、
つらい症状や、女性特有の悩みを改善できます。

冷え症を改善

おっぱい周辺の筋肉にアプローチして、血液やリンパ液の循環機能をアップすれば、全身に栄養素や酸素をスムーズに送ることができます。また、血行がよくなるので、冷え症の改善にもつながります。

美肌効果

肌も生理周期と同じ28日のサイクルで生まれ変わります。このサイクルは血液が皮膚に栄養を供給することで起こるもの。女性ホルモンのバランスが整い、血液循環がよくなれば、美肌効果も得られるのです。

肩こり改善

運動不足に陥りやすい現代人。とくにパソコンなどのデスクワークで長時間同じ姿勢でいるのは、肩こりの最大の原因に。おっぱい体操は、肩や腕、背中などの筋肉をまんべんなくほぐす効果もあります。

生理痛の軽減

おっぱいは子宮と卵巣にダイレクトでつながっています。だから排卵や生理のトラブルには、おっぱい体操が効果的です。おっぱい体操によって、生理痛が軽減したり、生理不順が改善されるのも魅力のひとつです。

美容には、おっぱい体操が１番!!

おっぱい体操を始めると、おっぱいの脂肪の形や量に変化が表れ、サイズアップや、左右の大きさが同じになるなどの効果があります。また身体の内側からきれいになれるから、美肌はもちろん、顔のシワやたるみを改善できるのもうれしい効果のひとつです。

おっぱいのしくみを知って、動かす

おっぱい体操の基本

おっぱいは、主にリンパ腺と乳腺、脂肪からできています。リンパ腺には、血中の酸素や栄養素を細胞に与えて、細胞の老廃物を取り除くという大切な働きがあります。

しかし、おっぱいは一日中ブラジャーと衣服に締めつけられているため、リンパ液や血液の流れが滞りやすくなっています。血液循環が悪くなると、酸素や栄養素をスムーズに細胞に運べなくなり、老廃物も排出されにくくなってしまいます。そして「ガチガチのおっぱい」になってしまうのです。

手足などは、運動不足の現代人であっても毎日の生活の中で自然と動かしていますが、胸部は意識して動かしてあげないと、最も動きが悪くなる部分なのです。おっぱい体操は、ねじったり、伸ばしたり、回す動きによって、おっぱいにつながる肩や腕、肩甲骨を動かすストレッチができます。朝と夜の2回を目安に、毎日の生活に取り入れていきましょう。

Mini Column

トイレでおっぱい体操!?

会社や外出先では、トイレでのおっぱい体操がおすすめ。正しいおっぱい体操（P34～参照）は朝晩２回でいいので、トイレではおっぱいを揺らすだけでOK。ほんの１分でも、一日に数回行えば、効果は十分期待できます。

おっぱい体操の基本の流れ

おっぱい体操には、4つの動きがあります。
ここでは、主な動きについて確認しておきましょう。

STEP1
腕・脇腹のストレッチ（ねじる・伸ばす・曲げる）

腕全体をねじったり、伸ばしたりすることで、おっぱい周辺の血液やリンパ液の流れをよくします。

腕から脇の下、脇腹にかけての詰まりを解消

STEP2
上腕・胸・背中のストレッチ（伸ばす）

おっぱいを支える上腕や大胸筋、肩甲骨を伸ばして、筋肉の伸びと弾力をよくします。

おっぱい周辺の緊張をやわらげて、張りを軽減

STEP3
肩・背中のストレッチ（回す）

肩を大きく回すストレッチで、肩から背中まで広範囲を動かすので、身体がほぐれていきます。

肩や肩甲骨のこりを改善

STEP4
おっぱいを揺らす

手でポンポンとおっぱいを揺らすことで、おっぱいを支える靭帯の弾力を強化します。

形のよい、ふわふわのおっぱいに

心も身体も変わった！

おっぱい体操のうれしい効果

おっぱい体操を続けていると、身体の外側と内側に変化があります。自分でその変化がわかるとうれしいものですが、パートナーや家族からの反応があると、さらにうれしくなるもの。

この本で紹介しているおっぱい体操や生活習慣を見直しても、変化の表れ方や、効果を実感できるまでの時間には、個人差があります。とはいえ、おっぱいがやわらかくなったり、大きくなったり、左右の大きさがそろったりといった変化は必ず訪れます。また、おっぱいの大きさや形だけでなく、女性ホルモンのバランスがとれることで、性格が穏やかでやさしくなったという声も寄せられています。

さらに、生理不順が改善されたり、生理痛が軽くなったり、経血が出る日数が減るなどもわかりやすい効果です。早い人なら、おっぱい体操を始めて最初の月経から変化が表れるほどなのです。

エクササイズは、実感があればこそ続けられるもの。ここでは、おっぱい体操を始めた人からのうれしい体験談を紹介します。

Mini Column

おっぱい体操の体験を共有しよう！

おっぱいに意識がいくと、さまざまな変化が感じられます。それを友人に伝えたり、おっぱい体操の先輩の体験談を読んで、楽しみながら続けましょう。

おっぱい体操の体験談

息子への接し方が変わって、家族関係が良好に！

N子さん／40代／専業主婦　おっぱい体操歴6か月

おっぱい体操を始める前は、息子が学校から帰ってくるだけで憂鬱になっていました。神藤先生のおっぱい体操のワークショップに行ってから、おっぱい体操を楽しくやるのに加え、息子にできるだけ温かいエネルギーで、やさしく、やさしく接することを心がけるようになりました。表情を豊かにすることを忘れずに、毎朝、夫と息子に「いってらっしゃい」「気をつけてね！」と笑顔でいうなど、できることから実践していきました。すると、なんとなく少しずつ、息子へのストレスが減り、家族間の流れがよくなってきたような気がします。これが、おっぱい体操の効果なのかなぁと、実感しています。それと、以前はイライラすることが多く、息子や夫にガミガミと小言をいったり、声を荒げることがよくあったのですが、最近は減ってきました。

生理が３日で終わり、息子と夫が変化にびっくりしています

T子さん／30代／専業主婦　おっぱい体操歴２か月

おっぱい体操を始めて２か月。生理が３日で終わるようになりました。もうおっぱいはとうにやめていた４歳の息子が、おっぱいを触って「やわらかーい」といってくれました。夫も「なんか変わった？」と驚いていました。体操の時間は決めず、気がついたときにしています。体操以外では、電車に乗るときや料理をするときにはおしりを締めるように意識しています。あとは女性ホルモンが出るよう、できるだけ「笑顔でやさしく」を心がけていました。そして、年明けに妊娠が判明！　おっぱい体操のおかげかな!?

おっぱい体操の体験談

左右のおっぱいがそろって、肩や背中もスッキリ！

Oさん／50代／主婦　おっぱい体操歴４か月

おっぱい体操を始めて２～３週間で、左右のおっぱいがそろってきたような気がしました。ワークショップで、神藤先生に「おっぱい外し」をしてもらってから、“こり”のような感じがなくなり、軽くて心地よくなりました。それは、おっぱい体操を続けている今も変わりません。また、ブラなし生活を始めて１か月くらいで、腕や肩、背中がスッキリしてきました。効果をすぐに実感できたので、生理痛がひどくて悩んでいる友人などに、おっぱい体操をすすめています。

マシュマロおっぱいに夫が感動!

E子さん／30代／主婦兼セラピスト　おっぱい体操歴7か月

おっぱい体操の本と出会って、今まで足裏やふくらはぎ、肩などはほぐしていたけど、なぜか胸はほぐしていなかったことに気づき、すぐに実践! 最初は、特に頻繁にやっていました。そして、数日ですぐに効果を実感できました。今まで感じていた、おっぱいの「塊」っぽさがマシュマロのような状態になったのです。夫も驚いてくれました。

今は、首や肩のこりを感じるときや、生理前のおっぱいに張りを感じるときなど、主に夜だけやっています。毎日、お風呂の中で「おっぱい外し」をするのが習慣です。また、デリケートな話ですが、感度が上がったと思います。若い頃から胸の大きさがコンプレックスでしたが、今は、ほどよい大きさと張りで、形も変わらないように思います。また、毎日の睡眠も増やし、無理をしない生活を心がけています。「もしかしたら、おっぱい体操のテーマは家族かもしれない!」と思いました。ママが元気だと、家族も元気なんですね。それに気づけたことに感謝です!

ランジェリーショップで「胸が育っていますね」といわれました

A子さん／40代／専業主婦　おっぱい体操歴10か月

おっぱい体操は、週に5〜6日ぐらいと、ほぼ毎日やっています。1週間に2日ぐらいは、朝晩やっていますが、毎日2回、きっちりはできていません。それでも、半年ぐらいで効果を実感する機会がありました。ブラジャーをランジェリーショップでフィッティングしてもらったときに、店員さんに、「前にショップに来たときよりも、胸が育っていますね」といわれました。確かに、以前よりきれいにおっぱいがおさまるようになっていたのがうれしかったです！　おっぱい体操とブラを併用したのがよかったのかな、とも思います。神藤先生はいつもノーブラであの美しいおっぱいだから、すごいと思います。25年の体操の成果、本当に生ける証人だと尊敬です。また、生理初日の重苦しさが、かなり軽減されているので、これもおっぱい体操の効果かなぁと思っています。これからも、できる限り毎日、おっぱい体操を続けていきます。

おっぱい体操の体験談

「女度が増した」といわれ毎日が楽しい！

M子さん／30代／セラピスト　おっぱい体操歴１年半

基本的に月経のとき以外は毎日、おっぱい体操をやっています。お風呂で集中的にやることもあり、おっぱい揺らしだけや、ストレッチだけの日もあり、やらない日もあります。生理周期が整うなど、３か月くらいで効果を実感できました。まわりからは、「女度が増した」といわれ、夫からは、「身体全体がやわらかくなった」といわれました。息子が「気持ちいい！」と胸や膝の上にすりよってくることも増え、毎日がワクワクして楽しくなりました。

おっぱい体操を始めて最初の生理から変わりました！

S子さん／40代／派遣社員　おっぱい体操歴６か月

生理の初日と２日目を除いて、毎日、朝と夜に体操をしました。おっぱい体操を始めて最初の生理前から胸の張りがなくなり、あまりにも効果が早すぎるので偶然かな？と思っていましたが、その後３か月間、生理前の胸の張りがなかったので、確信しました。また、経血の粘度が薄くなったように思います。症状はまだ出るけど、PMSが軽くなりました。おっぱいもよく動くようになったと思います。白湯も飲むようになり、身体を冷やさない生活も続けています。

アーユルヴェーダに基づいたタイプ別診断

あなたのおっぱいは何タイプ？

アーユルヴェーダとは「長寿の知恵」という意味の古代インド発祥の伝統医学です。アーユルヴェーダは、現代医学のように病気になってから対処するのではなく、病気になりにくい心と身体をつくるという予防医学の考え方をもとにしています。そのため、自然治癒力を高める食事や生活にも重点を置いています。

また、アーユルヴェーダでは、心と身体の基礎となる生命エネルギーを「ドーシャ」と呼びます。ドーシャには、「ヴァータ」「ピッタ」「カパ」という3種類があり、誰でもこの3つの要素をもっています。そしてこの3つの配合バランスによって体温や食事などの傾向に違いがでるのです。同じ環境にいても、暑く感じる人と寒く感じる人がいたり、食事量に個人差があったりするのは、ドーシャのエネルギーバランスが異なるからです。

3つのドーシャがバランスよく調和していると、心も身体も健康でいられるというのが、アーユルヴェーダの考え方です。

Mini Column

アーユルヴェーダとは？

3000年以上前から現代まで伝えられてきたアーユルヴェーダ。身体と心だけでなく、魂や環境などすべてが調和していることを重んじ、自然治癒力を高めて、病気になりにくい心と身体をつくることが目的です。

3種類のドーシャとは？

人間の根本的体質は、受精の瞬間の両親のドーシャバランスと季節、時間、環境によって決定されます。しかし、食生活などの生活習慣によって、そのバランスは変化していくもの。アーユルヴェーダでは、心と身体の基礎となる生命エネルギーを「ドーシャ」と呼びます。人は誰でも「ヴァータ」「ピッタ」「カパ」のドーシャをもっていて、その配分が、その人の性格や体質、行動などの個性に結びついているのです。

ヴァータ
（風の要素）

特徴　軽い、冷たい、乾燥、細かい、よく動く、透明、分散的、不規則、刺激的

ピッタ
（火の要素）

特徴　明るい、熱い、油性、鈍い、液体、すっぱい、刺すような

カパ
（水の要素）

特徴　重い、冷たい、油性、遅い、粘性、密度が高い、やわらかい、静か、甘い

3つのドーシャ　タイプ別診断

健康法や食事法は、人それぞれ違って当たり前。体質に合ったケアが必要になります。自分のタイプを知れば、どういうときにバランスを崩し、どうすると調子がいいのかがわかります。適切な方法を実践して健康管理ができるようになるのです。下のチェックリストで、一番自分にあてはまる数が多いタイプが、あなたのドーシャの配合が高いものです。ここでは3つのタイプ別に適切なケアを紹介します。

ヴァータタイプ

- □ 華奢でやせている
- □ 目が少し小さめ
- □ 肌が乾燥気味
- □ 手足が冷たい
- □ 便秘がち
- □ 食欲にムラがある
- □ 行動的
- □ 歩くのが速い
- □ 流行に敏感
- □ 飽きっぽい
- □ 神経質
- □ 心配性

ピッタタイプ

- □ 中肉中背
- □ 目が鋭い
- □ 髪が細い
- □ ほくろやそばかすが多い
- □ 汗っかき
- □ 食欲旺盛
- □ 快便
- □ 頭がいい
- □ リーダータイプ
- □ 感情が激しい
- □ 短気
- □ 自尊心が強い
- □ 雄弁家

カパタイプ

- □ グラマー
- □ 黒目が大きい
- □ 髪の毛につやがある
- □ 肌がなめらか
- □ 肌が色白
- □ 太りやすい
- □ 鼻炎になりやすい
- □ 睡眠時間が長くて深い
- □ おおらかな性格
- □ 愛情深い
- □ 動作や話し方はゆっくり
- □ マイペース

ヴァータタイプ

食生活で気をつけるのは……

- 三食を規則正しくゆっくり落ち着いて食べる。
- 温かいものを選び、油分や水分を含み、まろやかに調理されたものを食べる。
- 甘味、塩味、酸味、熟した果汁の多い果物を優先的に摂取する。
- 辛味、苦味、渋味、冷たいもの、乾燥したものを避ける。
- コーヒー、炭酸飲料は控える。

生活習慣で気をつけるのは……

- 規則正しい生活を心がけ、夜更かしはしない。
- 追われる生活を避けて、穏やかな日を設ける。
- 乾燥や冷えに注意する。

体調を崩すと……

- 皮膚が乾燥して枝毛やフケが増え、髪質もパサパサになる。
- 手足が冷えて、冷え性になる。
- 痛みを感じやすくなる。
- お腹にガスがたまり、便秘になる。
- 声がかすれやすくなる。
- 気分の変動が激しく、精神的に不安や緊張、恐怖心が強くなる。
- 衝動的でまとまりがなくなり、心配性になる。
- 空虚感に襲われて、不眠症に陥りやすくなる。

原因は……

- 不規則な生活
- 精神と五感の刺激過多
- 睡眠不足
- 激しい運動
- 絶食やダイエット
- 寒くて風の強い乾燥した天候
- 冷房の強い室内
- 秋から初冬にかけて
- 初老期から老年期
- 2時から6時と、14時から18時（ヴァータの質が増す時間帯）

ピッタタイプ

食生活 で気をつけるのは……

- 空腹を避ける。
- スパイス類や塩味、酸味、お酒やヨーグルト、ナッツ類、肉類、コーヒーを控えめにする。
- 甘味、苦味、渋味の多い旬の野菜や果物、豆類、穀類といった食事を中心に規則正しい食事をとる。
- 水分をたっぷりとる。

生活習慣 で気をつけるのは……

- 暑い戸外での運動や仕事を避ける。
- 競争や賭けごとをなるべく避ける。
- 夜更かしはせずに、夜は少しずつ暗くして目を休めるよう心がける。

体調 を崩すと……

- 体温の変動が激しく、発汗が増える。
- 視力が低下し、目が充血しやすくなる。
- 胸焼けや消化不良、下痢に陥る。
- 吹き出物など皮膚に影響が出やすくなる。
- ほくろやそばかすが増える。
- 口臭や体臭が強くなる。
- 怒りっぽく、批判的になる。
- 破壊的で完全主義な見栄っ張りになる。
- 独善的で威圧的になる。

原因 は……

- 部屋が暑すぎる、太陽に当たりすぎている
- 空腹や不規則な食事
- 動揺したり、気を張りすぎる
- 競争や争いごと
- 塩味、辛味、酸味の多い食事やアルコール
- 夜更かし
- 夏から初秋にかけて、暑くて湿度が高いとき
- 壮年期
- 10時から14時と、22時から2時（ピッタの質が増す時間帯）

カパタイプ

食生活で気をつけるのは……

- 朝食は軽めで、温かいみそ汁やスープ程度にする。
- 身体を温めるスパイスを十分にきかせて、苦味や渋味のある野菜を温めて食べる。
- 穀類は乾燥した古米をとる。
- 甘味、塩味、酸味、冷たいもの、油分の多いものは控える（加熱しないハチミツは可）。
- 空腹を感じてから食事をとる。

生活習慣で気をつけるのは……

- 運動をする。
- 寝すぎ、昼寝を避ける。
- 湿度を低く保って、寒い日は身体を動かして温める。
- 早起きを心がける。

体調を崩すと……

- 肥満になり、むくみやすくなる。
- 鼻炎、鼻づまり、アレルギーを起こしやすくなる。
- 口内が甘く、痰が出やすくなる。
- 眠気が強く、だるくなる。
- こだわりやすく、執着心が強くなる。
- ねたみや頼りなさ、不寛容といった感情が出やすくなる。
- 動作が緩慢で怠慢になりやすく、不潔になる。
- 物質主義で、物を抱え込むようになる。

原因は……

- 眠りすぎ、昼寝
- 運動不足
- 甘くて油っこい食物や塩分のとりすぎ
- 食べた後、すぐ横になる
- 冬の終わりから春先にかけて
- 寒くて雨が降る日
- 幼年期から青年期
- 6時から10時と、18時から22時（カパの質が増す時間）

知って
うれしい

女性ホルモンと排毒のはなし

女性が必ず付き合わなければならないものが「月経」です。毎月やってくる月経を、面倒くさいと思っていませんか？　しかし、月経は子どもをつくる身体を準備するためだけでなく、身体に蓄積された老廃物などの毒素を排出する、優秀な排毒システムでもあるのです。

月経に関係する女性ホルモンには、エストロゲンとプロゲステロンの2種類があります。これら女性ホルモンのバランスが崩れていると生理不順になったり、正しい月経がこなかったりします。正しい月経がこないと、毒素は排出されません。

また、尿や便によっても体内の毒素は排出されます。これらもホルモンバランスが崩れていると体内の循環が悪くなり、きちんと排出されません。おっぱい体操を行って、ホルモンバランスを整える生活を心がけましょう。

ふたつの女性ホルモンの特徴

エストロゲン期
（月経直後から約10日間）

この時期は肌つやがよくなり、女性らしい丸みのある身体になります。心もやさしく穏やかで軽快になるので、「恋をする時期」でもあります。

プロゲステロン期
（排卵直後から月経まで）

体内の水分代謝がアンバランスになりやすいときです。精神的に不安定で、いらいらしやすいので、自分をコントロールした方がよい時期です。

女性の排毒システム

月経

- 毒が多いと経血の量が増えやすい
- 月経前に甘い物や油分を控えると月経が楽になる
- 体内の毒素が少ないと、月経が軽くなりやすい

尿

- 一日に7回～8回が理想的
- 回数が多くてもむくんでいる人は、ミネラル不足かも
- 尿トラブルは、おっぱい体操と下半身の運動で軽減する

便

- 一日2回が理想的
- 1回沈んで浮いてくる便が良質な便
- 温かい便は健康な便

Part
2

エクササイズを始めよう！

おっぱい体操だけでなく、
他にもリンパの流れをよくしたり、
ホルモンバランスを整えてくれる
エクササイズがあります。
おっぱい体操とあわせて
行いましょう。

いよいよ、おっぱい体操スタート！

おっぱい体操を始める前に

おっぱい体操は、思春期から更年期まで、幅広く女性におすすめしたい体操です。１日2回、朝と夜に行い、日中もトイレなどでおっぱいを揺らすことで、効果が期待できます。時間もかからず、簡単にできる体操ではありますが、毎日続けるのはなかなか難しいもの。１日やらない日があるのも仕方ありませんが、３日坊主で終わることのないよう、気楽に長く続けることを心がけてください。

おっぱい体操は、どれも左右同様に行い、つねに左からスタートすることを覚えておきましょう。これは、左右でリンパの流れが違うため、心臓のある左側から行ったほうが効果的だからです。

では、おっぱい体操を始める前に「おっぱいチェック」を行いましょう。いくつチェックがついたでしょうか？　おっぱい体操を続けていくと、３６０度自由自在に動く、ふわふわのおっぱいへと変化していきます。おっぱい体操によって、おっぱいの形だけでなく内面からキラキラと輝く女性へとステップアップを目指しましょう。

Point　触ってセルフチェックを！

＊鎖骨の下……血液とリンパ液の合流地点。ゴリゴリしていたら、循環が悪化しているサインです

＊脇の下……リンパ液が集中し、滞りやすい部分。ゴリゴリしていたら、ほぐしましょう

＊おっぱい……体液の循環が悪く、乳がんの発生する割合が高い場所。しこりがないか確認を

おっぱいチェック

次の10個の質問のうち、いくつ自分にあてはまるでしょうか？
自分のおっぱいを触って、確認してみましょう。

Let's Check!

- ☐ 左右のおっぱいの大きさが違う
- ☐ おっぱいが360度自由自在に動かない
- ☐ おっぱいが温かくない
- ☐ 触ると硬くてふわふわしていない
- ☐ おっぱいにしこりがある
- ☐ おっぱいとおっぱい周辺に痛みがある
- ☐ 生理前におっぱいが痛む
- ☐ 生理痛が重い
- ☐ 生理周期が不順
- ☐ 生理が5日以上ある

チェックが 0個

あなたのおっぱいは、理想的です。今のおっぱいの状態を保つために、おっぱい体操を行いましょう。

チェックが 1～4個

あなたのおっぱいは、黄色信号。おっぱい体操を始めると、効果が早く実感できるでしょう。

チェックが 5個以上

あなたのおっぱいは、赤信号。今日からすぐに、おっぱい体操を始めれば、遅すぎることはありません。

Let's Try!
エクササイズ **1**

10分でふっくらやわらかおっぱいに!

おっぱい体操

DVD

**おっぱいだけでなく、腕や脇腹、肩を動かして血液の流れをよくしたら
ふわふわしたやわらかおっぱいに変身です!**

Step1

腕・脇腹

（ねじる・伸ばす・曲げる）

腕と脇腹を伸ばしたりねじったりすることで、筋肉と腱の委縮している部分に弾力をつけます。

1

腕をまっすぐ伸ばす

脚を肩幅くらいに開いて立ち、左腕を肩と水平になるように上げる。腕全体を指先の方向にできる限り伸ばす。

2

4～5回

腕全体をねじる

腕全体を４～５回、内側と外側にしっかりとねじる。

POINT!

**手首だけでなく
腕全体をねじる**

ねじるとき、手首やひじだけをねじるのではなく、肩の付け根からしっかりとねじるようにしましょう。また、勢いよくねじると筋を痛める可能性があるので、内側、外側とゆっくりねじるように気をつけましょう。

NG

手首を曲げるとき、腕も一緒に曲げないように注意します。筋肉が伸びていることを意識しながら行いましょう。

3

手首を上に曲げる

手のひらを下向きにし、手首を上に曲げて5秒間数える。これを３～５回繰り返す。

3～5回

4

3～5回

手首を下に曲げる

手のひらを下にしたまま、手首を下に曲げて5秒間数える。これを３～５回繰り返す。

5

ねじりながら腕を上げる

腕をねじりながら、上に上げる。
ゆっくり、しっかりねじる。

6

腕を上に引き上げる

腕を上げて顔の横まできたら、
まっすぐにしたまま上にぐっと
引き上げる。

POINT!

脇の下、脇腹の伸びを意識する

腕を上に引き上げるとき、肩から腕全体が上に引っぱられているように引き上げます。このとき、脇の下と脇腹が伸びていることを意識しましょう。引き上げるときは無理せず、ゆっくり行うことがポイントです。

POINT!

ひじは背骨の延長線上にくる

ひじを曲げるときは、ひじが背骨の延長線上にくるように、右手でしっかりと引き寄せます。右腕を行うときも同様です。また、上半身を倒すときは、身体全体が傾かないように注意しましょう。傾くと脇が伸びません。

7

ひじを頭の後ろで曲げる

ひじを頭の後ろで曲げて、右手でつかむ。

4～5回

8

体を横に倒して脇腹を伸ばす

鼻から息を吐きながら、ゆっくり上半身を右側へ倒す。脇の下、脇腹が伸びたと感じるまで4～5回繰り返す。

9

ねじりながら腕を下ろす

身体を元に戻し、腕をしっかりとねじりながら下に下ろしていく。

腕を下に下ろし終わる

10

ねじり続けながら、腕を下まで下ろしていく。

POINT!

ゆっくりねじりながら下ろす

腕を下ろすときも、しっかりと腕をねじりながら下ろします。手首やひじだけを回転させても効果はありません。肩から付け根にかけて、腕がねじれていることを意識しながら下ろしていきましょう。

*右腕も 1 ～ 10 を同様に行います。

Step2

上腕・胸・背中
（伸ばす）

おっぱい周辺の筋肉に弾力をつける体操です。上腕の筋肉と大胸筋の伸びを意識して行います。

1

両腕を左右交互に引き上げる

両腕を上に上げて、左右交互にぐっぐっと引き上げる。

10回

2

両腕を後ろに倒す

両腕を頭の後ろで曲げ、左右の手でそれぞれ反対側のひじをつかむ。そのまま後ろ側に倒す。弾みをつけて10回行う。腕を持ち換え、同様に10回繰り返す。

POINT!

ひじを後ろに倒すとき、ヴァータとピッタの人はゆっくり、カパの人はリズミカルに行うとよいでしょう。筋肉が伸びるのを意識して行います。

Step3

肩・背中

（回す）

肩甲骨や肩を回すことで柔軟性がつき、弾力が高まります。背中の筋肉を伸ばしましょう。

POINT!

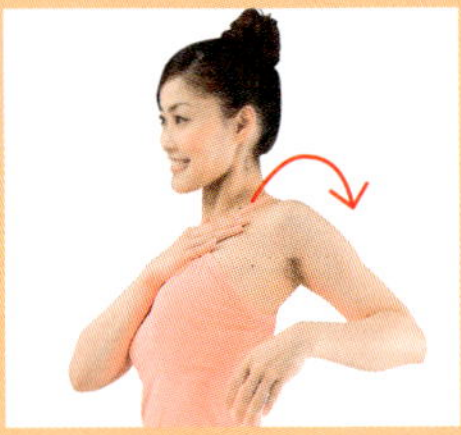

肩を回転させるときは、肩甲骨を動かすつもりで回します。鎖骨よりも肩が前にこないように注意。肩甲骨を背骨側に引くように意識します。

1

肩を後ろへ回す

右手を左側の鎖骨に添えて、左肩を後ろ側へ大きくゆっくりと回す。10回繰り返す。

＊右肩も同様に行います。

2

両肩を後ろへ回す

左右の肩をゆっくりと後ろへ回す。10回繰り返す。

Step4

おっぱい
（揺らす）

最後はおっぱいを揺らして血液とリンパ液の循環を高めます。自由に動く、やわらかおっぱいに。

1

おっぱいを片方ずつ揺らす

左のおっぱいを右手で持ち上げ、その位置から鎖骨の中央に向けて斜め上に弾ませるように揺らす。1秒間に2〜3回のペースで25〜30回繰り返す。

＊右の胸も同様に行います。

2

両方のおっぱいを揺らす

両手で脇からおっぱいを少し中央に寄せるように持ち上げ、真上にポンポンと軽く揺らす。1秒間に2〜3回のペースで25〜30回繰り返す。

POINT!

揺らし方で大きさが変わる

おっぱいの揺らし方で、大きくしたり小さくしたりできます。大きくしたいときはやや強めに、張りをとりたいときは小きざみに揺らしましょう。

本来のおっぱいの大きさを取り戻す

「おっぱい外し」って何？

「おっぱい外し」は聞き覚えのない言葉だと思います。おっぱいが小さくなったり、垂れたと感じている人には、この「おっぱい外し」が効果的です。おっぱい体操を始めていないときには、おっぱいが胸の筋肉に張りついてしまっている人が多いもの。おっぱいがベタッと胸筋に張りつくと、血液循環が悪くなり、十分に酸素と栄養が運ばれません。循環が悪いと、老廃物の蓄積が増えて細胞の新陳代謝が衰え、組織も弱くなるため、筋肉が硬く萎縮《いしゅく》してしまい、ガチガチのおっぱいになってしまっているはずです。そのまま放置しておくと、授乳でトラブルを抱えたり、ホルモンに関する病気や乳がんの可能性まで高くなります。

そんな悪循環から脱するには、この「おっぱい外し」がおすすめ。張りついてしまったおっぱいを指の腹で「外して」いくのがおっぱい外しで、マンモリラクゼーションといいます。大胸筋に張りついたおっぱいを自由にしてあげる「おっぱい外し」を始めましょう。

Point　おっぱい外しの効果

* 胸筋に張りついてしまったおっぱいを指先で外すことによって、本来のおっぱいを取り戻せる
* 血液やリンパ液の循環をよくするので、細胞の新陳代謝もアップして病気の予防になる
* ガチガチだったおっぱいが、ふわふわのマシュマロのようなおっぱいに変化していく

Let's Try!
エクササイズ 2 張りついたおっぱいを元に戻す!

マンモリラクゼーション

DVD

マンモリラクゼーションのポイントは“熊手”で寄せ集めること。
腕や脇から、リンパの流れにそってマッサージしましょう。

POINT!

タイプによって力加減を変える

カパタイプのおっぱいは大胸筋に張りつきやすいので、力を入れて行います。一方、ヴァータとピッタは広範囲からやさしく寄せ集めてくるように意識して行うと効果的です。

1

二の腕から付け根をさする

左腕を上げ、二の腕から腕の付け根に向けて、下へさするようにマッサージする。

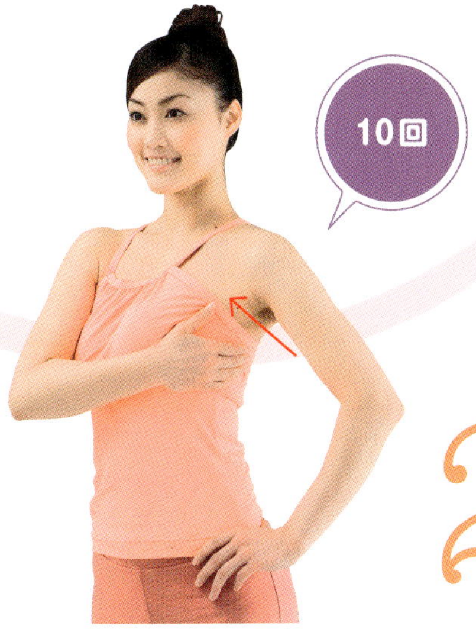

2

おっぱいを寄せ集める

左の肩甲骨の下側からおっぱいの脇に向けて、寄せ集めるようにマッサージする。

3

おっぱいを斜め上に持ち上げて揺らす

右手を熊手のように広げ、おっぱいを脇から鎖骨の中央へ向けて集める。さらに左手で持ち上げてから、軽く揺らす。

4

おっぱいを上に持ち上げて揺らす

3と同様に、左のおっぱいを下から上に向かって引き上げ、軽く揺らす。前に引き出すイメージでマッサージする。

*右腕も1～4を同様に行います。

POINT!

“熊手”ですべて持ってくる

手は熊手の形にして、肌を傷つけないよう、爪を立てずに指の腹で行いましょう。また、脇の脂肪をすべておっぱいに持ってきて、熊手ではないもう一方の手で集めたおっぱいを支えるようにしましょう。

5 両手でおっぱいのまわりをさする

両手で左右のおっぱいの間から脇に向けて、さするようにマッサージする。

6 片手でおっぱいのまわりをさする

おっぱいの間から脇に向けて、反対側の手でさするようにマッサージする。

＊右腕も同様に行います。

7 両手で鎖骨の下をさする

両手で左右の鎖骨の下を中央から肩に向け、さするようにマッサージする。

身体全体の代謝アップに欠かせない

胸腺マッサージで温かい身体に

おっぱい体操や、おっぱい外しとともに、毎日の体操に取り入れてほしいのが、「胸腺マッサージ」です。胸腺は、心臓から近い場所であり、多くの細胞が集まっています。さまざまなリンパ液の分泌が行われる大切な部分です。胸腺もおっぱいと同様に、普段の生活ではほとんど動かすことのない場所です。胸腺マッサージによって、血液やリンパ液の循環をよくしてあげましょう。

胸腺マッサージは、左右のおっぱいの間をさすって刺激するマッサージです。簡単なマッサージなので、すぐに覚えられるのもうれしいポイント。朝と夜のおっぱい体操のときだけでなく、ちょっと身体が冷えているなと思ったときや、ふと気づいたときに、気軽にできるマッサージでもあります。

慣れるまでは、さするのが痛いと感じるかもしれませんので、心地よく感じるくらいの強さで、ゆっくりとさすってあげましょう。慣れてきたら、少し強めにさするとよいでしょう。

Point　胸腺をマッサージすると……

* 胸腺では、さまざまなリンパが分泌されるので、リンパの流れを整える
* 心臓から近い部分なので、胸腺マッサージによって、血液やリンパ液の循環がよくなる
* 身体の中心をさするので、胸腺をマッサージすることで、身体全体がポカポカと温かくなる

Let's Try!
エクササイズ 3

血液とリンパ液の循環がよくなる!

胸腺マッサージ

DVD

胸腺は、さまざまなリンパが集まっているところです。
胸腺マッサージで、身体の内側からきれいになりましょう!

NG

手のひらを合わせるのはNG。両手の甲を合わせて行いましょう。また、カパは強め、ヴァータとピッタはやさしくさすると◎。

1 おっぱいの間を両手でさする

両手の甲を合わせ、おっぱいの間をさするように、上下に動かす。

10回

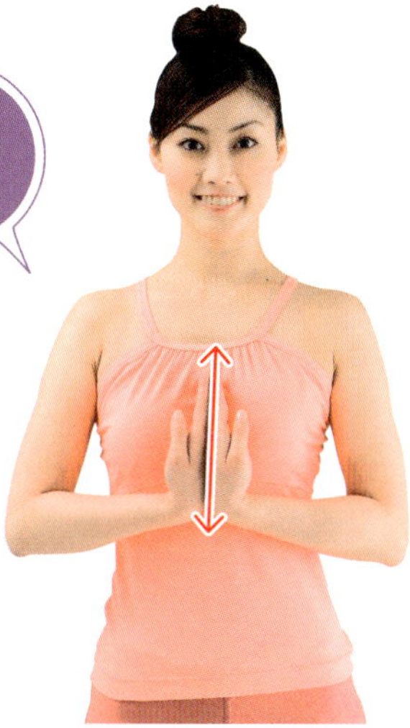

10回

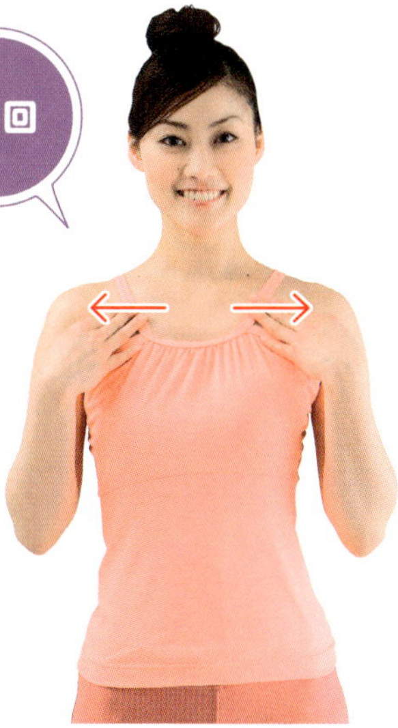

2 両手で鎖骨の下をさする

合わせていた両手を鎖骨の下へと移動して、中央から肩に向けさする。

骨盤と脚をストレッチで整える

身体のゆがみをスッキリ解消！

おっぱい体操で、身体全体の血液やリンパ液の循環がよくなってきたら、次は身体のゆがみを矯正していきましょう。骨は筋肉が支えているものなので、ストレッチを続けていけば必ず効果があります。

骨盤のストレッチを行うと、身体全体の内分泌系や自律神経の流れも整うので、萎縮していた筋肉への栄養が与えられ、弾力がつきます。また、骨盤の内側にある子宮や卵巣の血行がよくなり、冷えない身体へと変化します。おっぱい体操と一緒に行うことで、さらに循環のよい身体づくりができるのです。

また、骨のゆがみが解消されると、腰痛や肩こりの軽減につながります。O脚やX脚なども、骨のゆがみと、それにともなう筋肉のつき方のバランスの悪さが原因です。これも骨盤ストレッチを続けていけば改善されます。

脚のストレッチは、冷え症やむくみの悩みを解消するのに効果抜群なので、ぜひ実践してみましょう。

Point　下半身のゆがみを解消すると

- 子宮や卵巣を冷やさない身体づくりができる
- 腰痛や肩こり、冷え症やむくみなどの悩みを解消できる
- O脚やX脚を改善できるので、筋肉のバランスのよい美脚を手に入れることができる

理想的な脚とゆがんだ脚

理想的な“美脚”とは？

自然に立っている状態で、ひざとかかとがくっつく脚が理想です。普段から、正しい歩き方や座り方（P90参照）を心がけましょう。また、骨盤ストレッチや脚のストレッチを続けていくと、ゆがみが解消されるので、理想的な脚に近づいていきます。

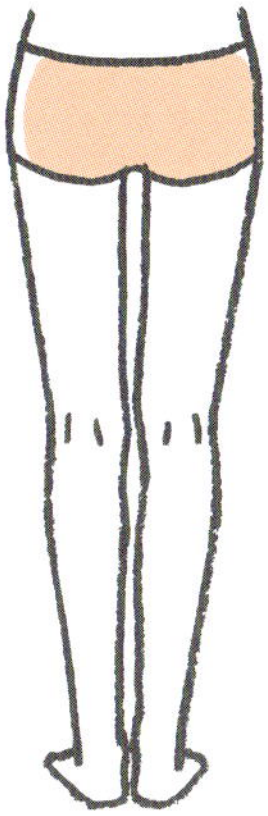

O脚の人の場合……

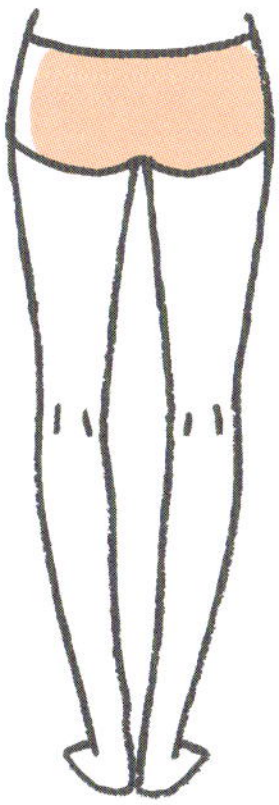

O脚の人の多くは、猫背で姿勢も悪くなっています。原因は、股関節のねじれにあるので、毎日の骨盤ストレッチによって、改善できます。

X脚の人の場合……

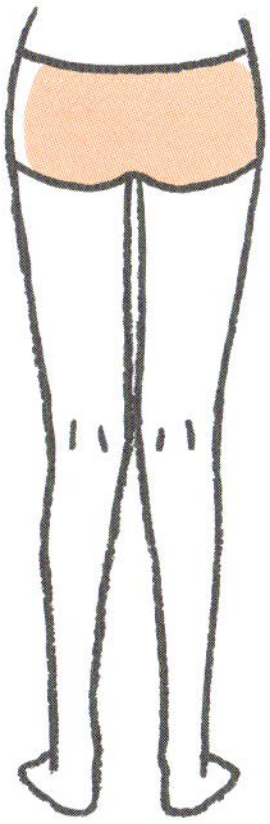

女性に多いパターンで、腰やひざに余計な負担がかかり、生理痛や便秘の原因にもなります。ストレッチとともに日々の姿勢も見直しましょう。

Let's Try!
エクササイズ 4 ゆがみを解消して、全身にアプローチ！

骨盤ストレッチ

DVD

最初は、スムーズにストレッチができない人も多いはず。
まずはゆっくり、鏡の前で自分の動きを確認しながら行いましょう。

骨盤回し

ひざを緩めて、足を肩幅に開いて立ちます。体の中心の軸をずらさないように意識して行います。

Side

骨盤を前に回す

恥骨を前に出すように意識する。

骨盤を後ろに回す

背骨の付け根の仙骨を出すように意識する。

右回りから始める

腸骨に手を置いて、骨盤を右回りに円を描くように360度回す。

＊左回りも同様に行います。

上半身と骨盤のストレッチ

腕が下がったり、腕と骨盤の動きがずれると効果がありません。最初は、ゆっくり行いましょう。

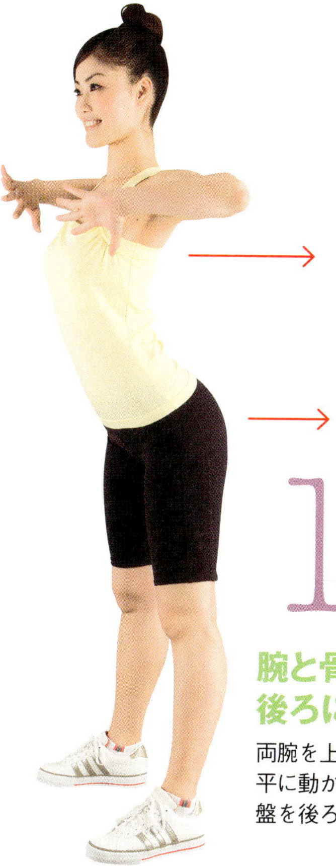

1 腕と骨盤を後ろに動かす

両腕を上げて後ろへ水平に動かしながら、骨盤を後ろにそらす。

10回

2 腕と骨盤を前に動かす

肩甲骨を意識しながら両腕を前に戻し、骨盤も恥骨を意識して前に出す。

Let's Try!
エクササイズ 5 脚のむくみ解消に効果抜群!

脚のストレッチ

DVD

ふくらはぎの筋肉を鍛え、脚のポンプ機能を強化します。
足の先から心臓への血行がよくなるので、毎日行いましょう。

ふくらはぎのストレッチ

寝る前に布団に入ってからでもできるストレッチです。ふくらはぎをしっかりと伸ばしましょう。

10回

足首を上に曲げる

左の足首を上に曲げてその体勢を保つ。5秒数えたらゆっくりと元に戻し、次に足を水平に倒して伸ばし、5秒数える。

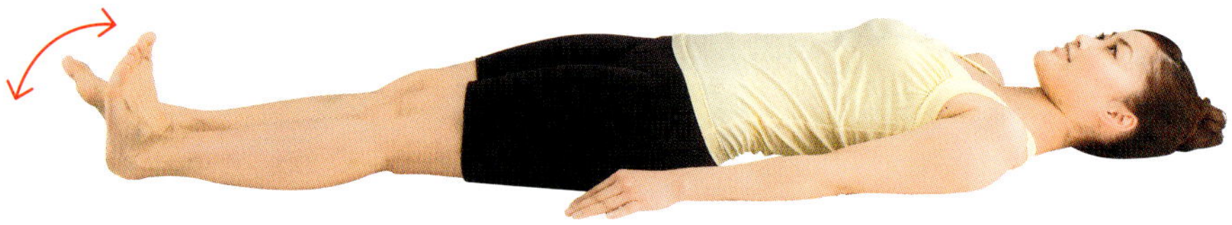

＊右足も同様に行います。

NG

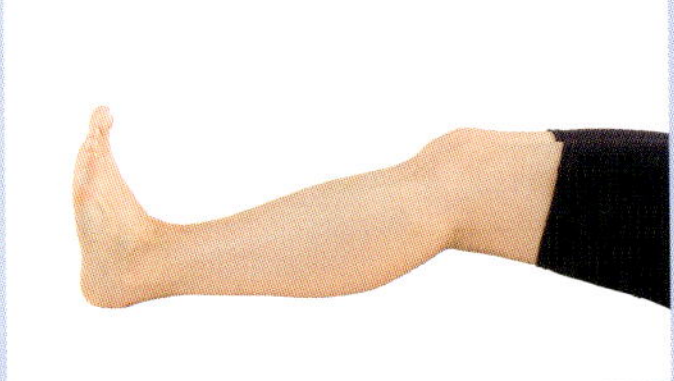

ひざを曲げて行うと、ふくらはぎをしっかり伸ばすことができません。脚を伸ばした状態で行いましょう。

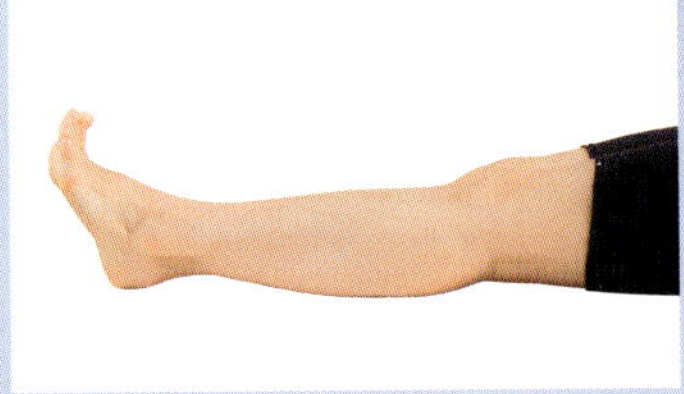

足の指だけを上に上げるのはNG。かかとから足全体を手前に引くように意識して、ふくらはぎを伸ばしましょう。

壁を使ったストレッチ

足の裏を壁につけて行うストレッチです。妊娠中の人は、高く上げすぎないようにしましょう。

脚を上げて足の裏を壁につける

足を心臓より高く上げて30秒数える。1分、5分と長くするとより効果的。

30秒

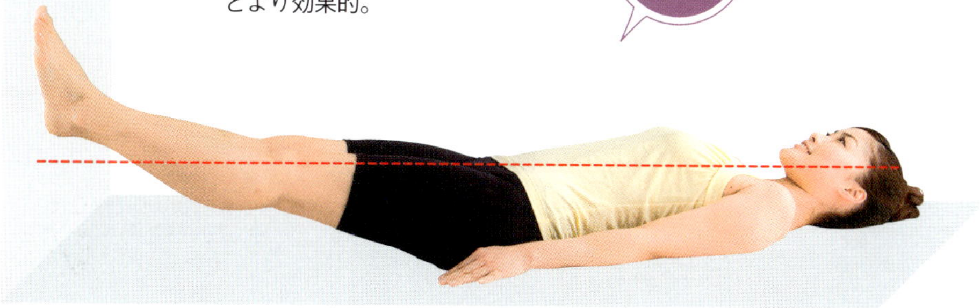

NG

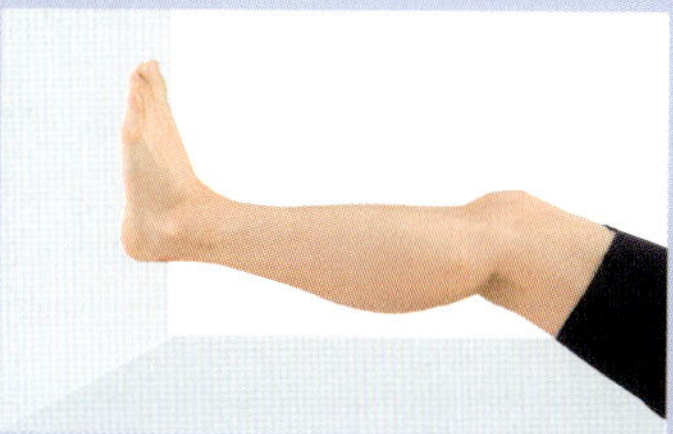

ひざが曲がっていると、スムーズに血液の流れを改善できません。しっかりと脚を伸ばして行いましょう。

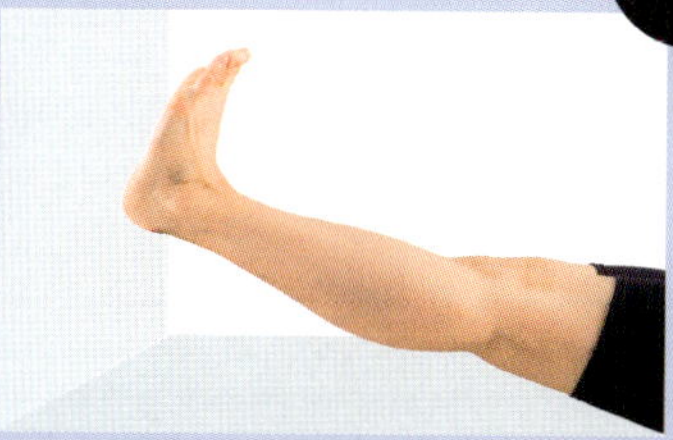

壁にかかとだけをつけて行うと、効果がありません。ぺったりと壁に足の裏をつけた状態を保ちましょう。

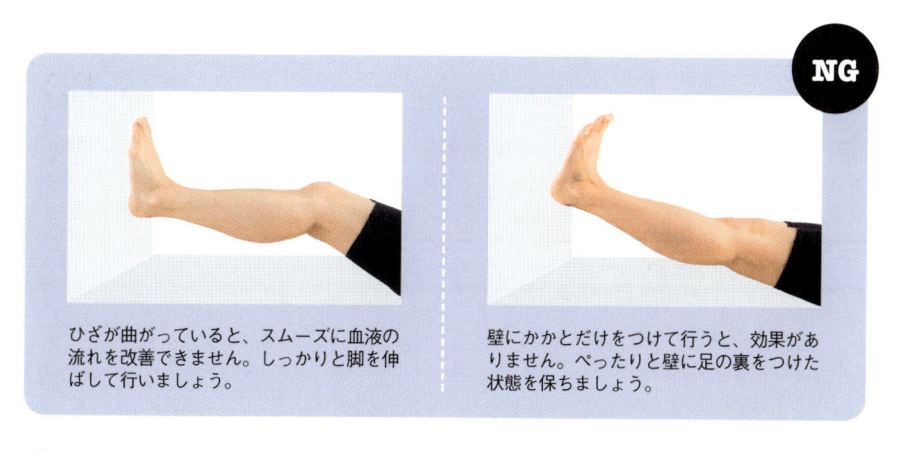

冷え症を改善し、肌を整えてピカピカに！

ガルシャナマッサージとは？

ガルシャナマッサージとは、ガルシャナと呼ばれる絹手袋をはめて身体全体をさする、日本伝統の乾布摩擦のようなマッサージです。絹には18種類のアミノ酸が含まれていて、皮膚の構造によく似ており、マッサージすることで皮膚に働きかけてくれます。

ガルシャナマッサージは、皮膚の余分な垢や老廃物を落として新陳代謝を活発にし、皮膚を整えてピカピカにする美肌効果があります。さらに、細かくて均一ではない絹の断面が肌に密着するので、身体が温まり、発汗をうながすことで、シェイプアップ効果も期待できます。毛細血管も強化されるので、冷え症で悩んでいる人にもおすすめのマッサージです。

ガルシャナマッサージは、朝起きたときに行うのが効果的。カパ体質の人には、特におすすめです。ここでは、脚と腕のマッサージを紹介していきますが、リンパの流れにそって全身をさすってみるのもよいでしょう。

Point　ガルシャナ（絹）の魅力

- ＊皮膚に刺激を与えることで、肌の新陳代謝をうながして、皮膚がピカピカになる
- ＊発汗作用もあるので、皮下脂肪を溶かし、シェイプアップ効果も期待できる
- ＊毛細血管を強化するはたらきもあるので、冷え症の改善にも効果がある

Let's Try! エクササイズ 6 絹の力でピカピカボディに!

ガルシャナマッサージ

DVD

ガルシャナ（絹）が、皮膚の内側と外側にはたらきかけるので
美しい肌と、新陳代謝のよい身体をつくります。

脚

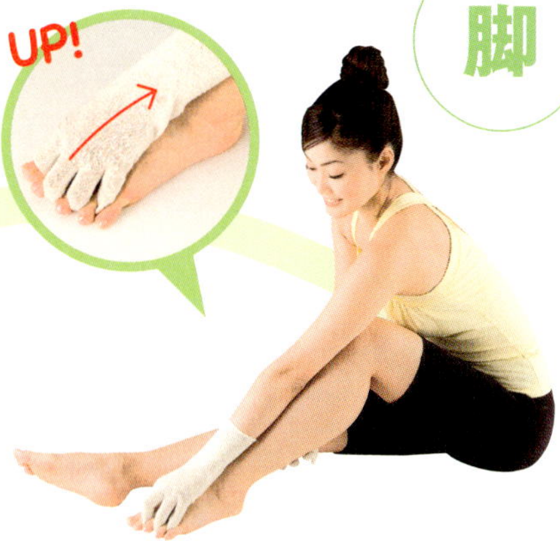

1 足の甲をさする

左足の指の付け根から足首へ向けて、骨の間を右手でさする。

2 足の側面をさする

左足の側面全体を指先からかかとへ両手を使ってさする。

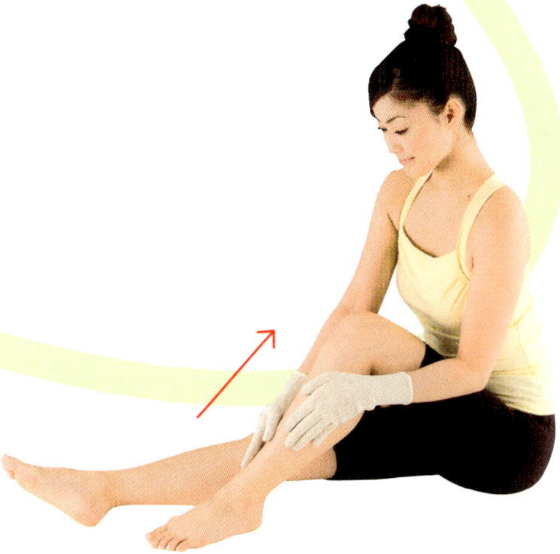

3 ひざ下をさする

すね部分を、足首からひざに向けて下から上へさする。

4

くるぶしをさする

手で足首を挟んで、くるぶしの下から上へさする。

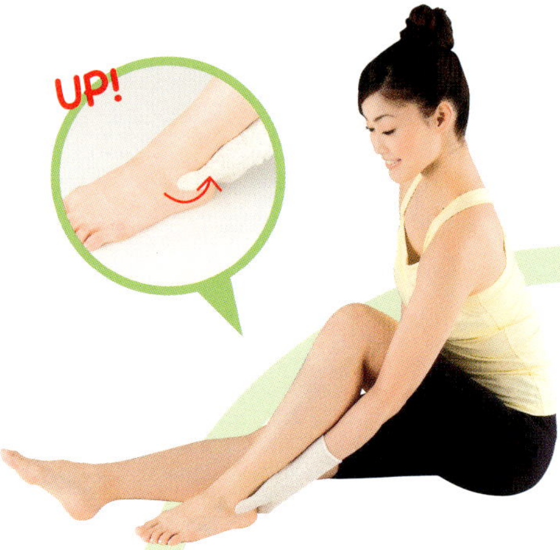

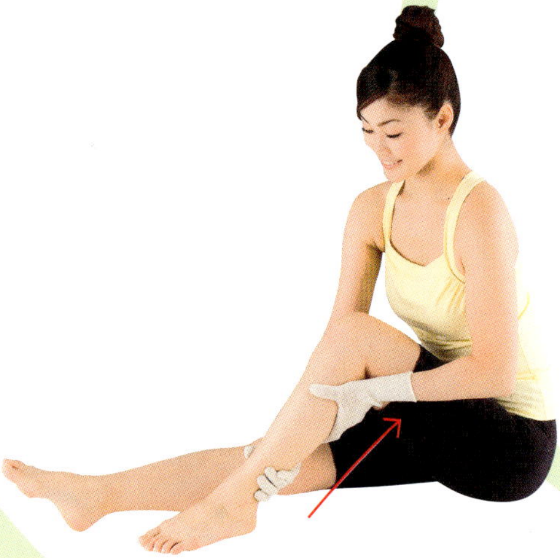

5

ふくらはぎをさする

足首からひざの裏まで、ふくらはぎを下から上へさする。

6

ひざをさする

両手を使って、ひざのまわりを、やさしく円を描くようにさする。

7 太ももの内側をさする

太ももの内側を、ひざから足の付け根までもむようにで左右にさする。

8 太ももの外側をさする

太ももの外側を、ひざから足の付け根までさする。

9 太もも全体をさする

太もも全体を両手でしっかりと挟んで、ひざから付け根までさする。

＊右足も１～９を同様に行います。

腕

1

手の甲をさする

左手の指の付け根に右手の指を挟み、手首へ向けて、骨の間をさする。

2

腕をさする

腕は下げたままで、左腕の手首からひじまでを、下から上へさする。

3

二の腕をさする

腕は下げたままで、左腕のひじから肩までを、下から上へさする。

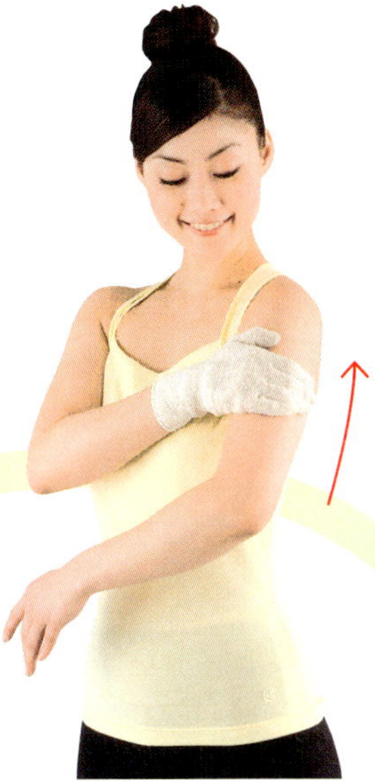

4

腕全体をさする

腕は下げたままで、左腕全体を手首から肩まで、下から上へさする。

5

腕を上げてさする

腕を上げて、左腕のひじから脇までを、上から下へさする。

＊右腕も1～5を同様に行います。

パートナーとスキンシップもとれる

ペアマッサージでリラックス

ここまでに紹介してきたおっぱい体操やストレッチはどれも1人で行えるものでしたが、ここではペアで行う「おっぱい揺らし」「腕と肩甲骨のマッサージ」「脚のストレッチ」を紹介します。

学校の体育の時間や部活動を思い出してみてください。運動前後のストレッチは2人1組で行ったはずです。1人よりも、2人の方がよりしっかりとアプローチができるので、ペアストレッチの方が効果が高くなります。

また、人におっぱいを触ってもらうと、おっぱいの変化がよくわかり、楽しい会話もうまれるでしょう。「手当て」という言葉もあるように、人の手には傷を癒す力があるので、人に触れてもらうことは心の栄養にもつながります。おっぱい揺らし以外のペアマッサージも、パートナーと一緒に行うことで、大切なスキンシップになります。身体の力を抜いてパートナーに身をゆだね、リラックスしてペアマッサージを行いましょう。

Point　ペアマッサージのメリット

- ＊ １人で行うよりも、しっかりとアプローチができる
- ＊お互いに触れ合うことで、２人の大切なスキンシップや会話のきっかけになる
- ＊マッサージをしてもらう本人は、身体と心のリラックスタイムがとれる

Let's Try! エクササイズ 7

リラックスして楽しみたい!

ペアマッサージ

DVD

パートナーが男性のときは、特に加減などに気をつけて
強すぎないよう注意して行いましょう。

おっぱい揺らし

パートナーに身をゆだね、おっぱいを包み込むように上げて、やさしく揺らしてもらいましょう。

1 おっぱいを両手で支える

パートナーが後ろに座り、両脇から手を入れて、後ろからおっぱいを支えます。

2 おっぱいを揺らす

手のひら全体でおっぱいを寄せながら上げます。上げた位置で軽く揺らします。

10～20回

腕と肩甲骨のストレッチ

手首やひじ、身体を引っ張るときには、ゆっくりと強さを確認しながら行いましょう。

5回

1 腕を引き上げる

片手で左ひじをつかみ、もう片方の手で手首を軽く持って、上にゆっくりと引き上げる。

5回

2 身体を横に倒す

左手で左ひじを持ち、右手で右肩を支える。左ひじを右へ押して、左の脇を伸ばす。

*右腕も1～2を同様に行います。

10回

3 肩甲骨を伸ばす

左右の手でそれぞれ反対側のひじをつかむ。腕を後ろに引いて肩甲骨から背中を伸ばす。

脚のストレッチ

激しくしないように注意しましょう。また、慣れてきたら10回行うと、より効果的です。

1 足首を曲げる

ひざを押さえ、足首を上に曲げ10秒数える。次に足首を水平に倒し、10秒数える。

＊左足、右足の順に行います。

2 脚全体を揺らす

足の親指と小指を持って脚を持ち上げ、脚全体を軽く揺らす。強く揺らしすぎないよう注意する。

＊左足、右足の順に行います。

Let's Try!
エクササイズ **8** いつでもどこでもできる呼吸法

ブレスオブファイヤー DVD

**身体を温めることはもちろん、ぽっこりお腹の悩み解消にも効果的！
まずは呼吸を意識して、ゆっくりやってみましょう。**

1 丹田に力を入れる

両手をお腹に置いて、おへその下の丹田を意識してグッと力を入れます。

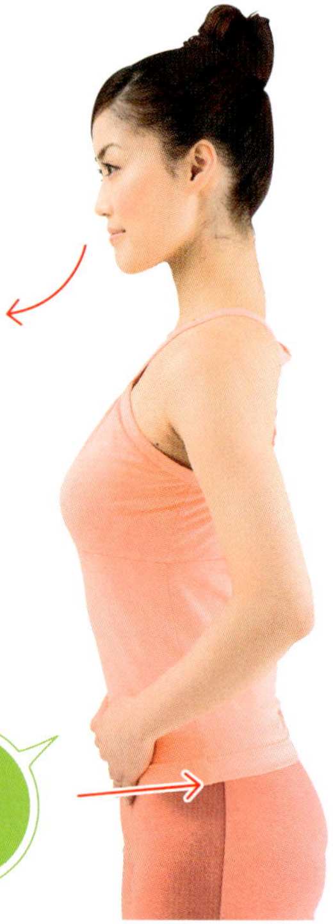

10回

2 鼻で腹式呼吸をする

口を閉じて、鼻で腹式呼吸をします。リズミカルにフッフッと息を吐くときにお腹をへこませましょう。

Part
3

おっぱいにやさしい生活で体質改善

現代女性はさまざまな
ストレスにさらされています。
自分の身体のことを知り、
身体やおっぱいにやさしい
生活習慣を心がけて
中から美しくなりましょう。

身体に大きく影響を与えている
女性ホルモンとおっぱいの関わり

おっぱい体操を始めるまでは、自分でおっぱいを揺らしたり、触ったりすることがなかった人が多いことでしょう。しかしおっぱいは、赤ちゃんや男性のためだけにあるのではなく、あなた自身のものです。おっぱいは、女性の身体と心に重要な役割を担っているのです。

おっぱいは乳腺という細胞を保護するために、ほとんどが脂肪からできています。また、首、背中、鎖骨、肩甲骨、上腕周辺の筋肉もおっぱいの血液やリンパ液の循環と密接な関わりがあります。

また、おっぱいや子宮、卵巣があることで排卵があり、身体が浄化され、免疫が強化されるという男性にはないメリットがあります。子宮や卵巣は28日間で排卵や生理を起こしますが、実は、おっぱいも同じリズムで張ったり小さくなったりと、変化を続けているのです。

おっぱいのメカニズム

おっぱいの内側にはエストロゲンの分泌によって発達した乳腺組織があります。この乳腺組織に沿って、血液やリンパ液が流れ、神経が張りめぐらされているのです。血液やリンパ液は、おっぱいを支える大胸筋の収縮力で循環しています。

ふわふわおっぱいのしくみ①

ふわふわなおっぱいをつくるためにも、
まずは自分自身のおっぱいについて知ることから始めましょう。
ここではおっぱいの内側と外側の両面からしくみを紹介します。

おっぱいの内側

おっぱいの中には、母乳を分泌する乳腺組織と、その周囲に脂肪があり、血管、リンパ管、神経が半球上に張りめぐらされています。それが、靭帯で支えられて大胸筋の上に乗っています。そのさらに下に肋骨があります。

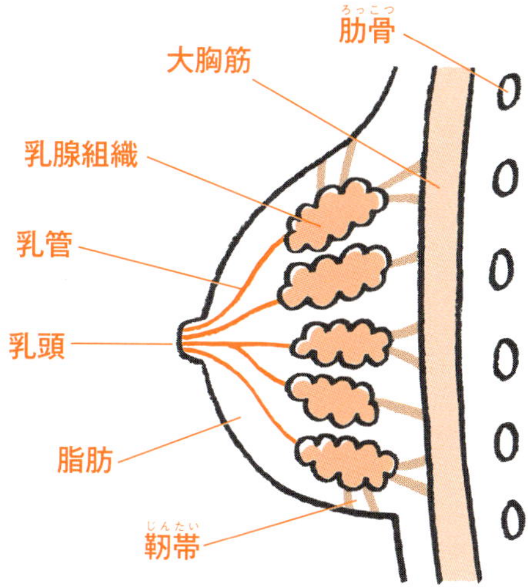

おっぱいの外側

鎖骨から首にかけて斜めに走る胸鎖乳突筋、背中の筋肉、大胸筋、上腕二頭筋、上腕三頭筋のすべてがおっぱいの土台。また、おっぱいはエストロゲンとプロゲステロンによって、子宮や卵巣ともつながっています。

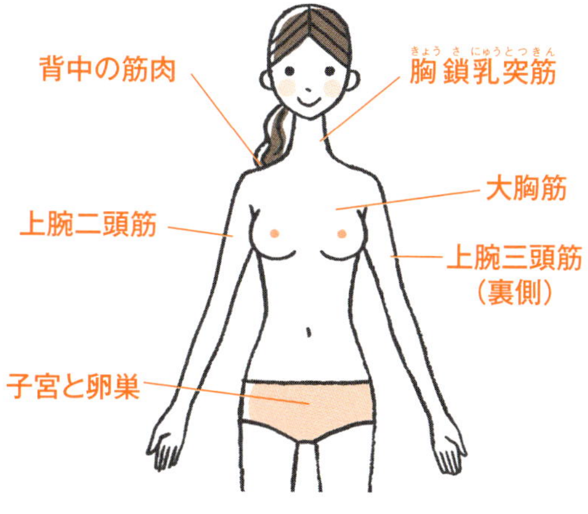

ふわふわおっぱいのしくみ②

おっぱいは、心臓の近くにあり、身体全体と密接な関わりを持っています。
また、生理周期にともなって、おっぱいの張りも変化するので、
そのしくみを学んでおきましょう。

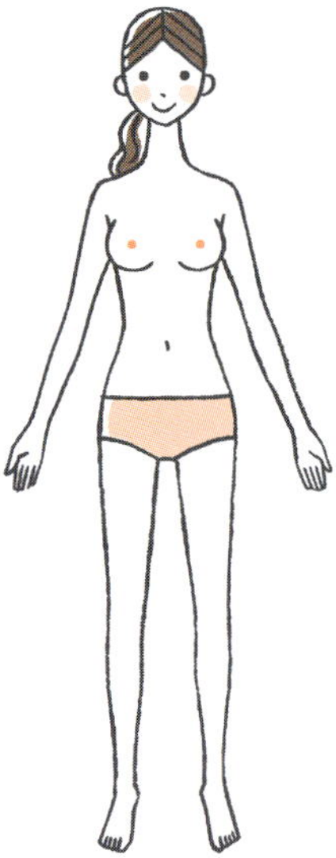

おっぱいと全身のつながり

リンパの集合地帯

リンパが集中しているおっぱい。乳頭から胸筋まできれいな放射線状になっていると、リンパ液が鎖骨下や脇の下のリンパ節にまで自然に返りやすくなります。

血流のポイント

血液は心臓から全身に流れるので、胸部の循環が悪いと手足や内臓を冷やし、頭痛や肩こり、乾燥などトラブルが起きてしまいます。

子宮と卵巣

ホルモンは、血液の流れによって全身に運ばれます。血液の循環がよいとふわふわのおっぱいになり、おっぱいと直結している子宮や卵巣も好調になるのです。

生理周期とおっぱいの張り

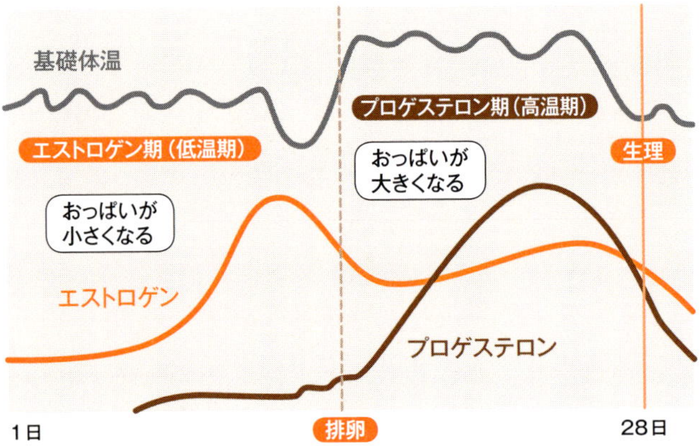

おっぱいは、生理後のエストロゲン期にしぼみ、排卵後から次の生理までのプロゲステロン期に張るしくみになっています。周期とは別に、血液やリンパ液の流れが悪くなると大きさが変化してしまうこともあります。

ふわふわのおっぱいをつくる！生活習慣チェック

理想的なおっぱいをつくるためには、
おっぱい周辺の血行をよくすることが大切。
そのためにはおっぱい体操が有効ですが、
生活習慣の見直しも大切です。
セルフチェックをしてみましょう。

- □ 生理不順、または生理痛、PMS がある
- □ いつも手足が冷たい、冷え性
- □ ヒールのある靴を履くことが多い
- □ 夏はノースリーブの服をよく着る
- □ ワイヤー入りのブラジャーを使っている
- □ エアコンの効いた屋内で過ごすことが多い
- □ 一日中オフィスでパソコンに向かうデスクワークだ
- □ 入浴は湯船につからず、シャワーだけが多い
- □ 夜遅くに食事をとることが多い
- □ 甘いものやパン、洋菓子が好き
- □ 外食が多い、または加工品や揚げ物が多い
- □ 便秘気味だ

チェックをした数が……

0個　ふわふわおっぱい！

生活習慣に問題はなさそう。おっぱい体操を続け、体質にあったケアを取り入れて、さらに健康な身体を手に入れましょう。

1～4個　ふわふわおっぱいまであと一歩！

生活習慣が少し乱れているため、女性ホルモンのバランスにも乱れがありそうです。おっぱい体操を継続しましょう。

5～8個　ふわふわとガチガチの境界線！

生活習慣を見直すタイミングです。おっぱい体操を毎日欠かさずに行い、体質にあったケアも取り入れていきましょう。

9個　ガチガチおっぱい……

冷え症や肩こり、頭痛などの症状があるでしょう。一日も早くおっぱい体操を始めて、生活習慣も改善する必要があります。

幼少期から思春期、妊娠、更年期まで……

女性の一生とケア

生まれてきた瞬間から、女の子は女性です。与えられた性を大切にするためにも、成長過程において、守りたい習慣がいくつかあります。

男の子と女の子の身体の違いが明確化してくるのは、思春期よりももっと前。3歳くらいになると、体重は同じでも男の子はがっしりしていて、女の子はふわっとやわらかいもの。12歳くらいになると乳腺が発達して胸がふくらみ始め、初潮を迎えます。成熟期には女性ホルモンの分泌が安定してくるので、食事や身体のケアがしやすくなります。妊娠期や出産前後には、女性の身体は大きく変化します。さらに女性ホルモンの分泌が急激に減る更年期や閉経の時期にも体調の変化が多いもの。

女性ホルモンとおっぱいとは密接な関係にあります。自分の性を大切にして、健康的な生活を心がけましょう。

「女性の一生と大切にしたい習慣」

小児期

- 冷たい水を触らない
- 腰を冷やさない
- おしっこを我慢しない
- 冷たいものを飲まない
- 脂肪の多いもの、肉類、乳製品を控える
- 大股開きをしない。股を閉じる
- ベビーマッサージをしてもらう

思春期

- 身体を冷やさない
- 血液をきれいに保つ
- 良質な植物性脂肪を適度にとる
- 早寝早起きをする
- ガルシャナマッサージ（P54参照）で代謝をうながす
- ブラジャーは胸がふくらみきってからつける
- 生理前は毒素排出効果の高い豆類のおやつと緑茶に

成熟期

- 身体を冷やさない
- 血液やリンパ液の循環をよくする
- 油と砂糖を一緒にとらない
- 自分の体質に合ったケアをする
- 早寝早起きの習慣を続ける
- 人生を楽しむ
- たくさん恋をする
- おしゃれをする
- 勉強や仕事、それ以外でも何か夢中になれることを見つける

更年期〜閉経後

更年期障害を受け入れる身体づくり

更年期には、身体が硬くなる、冷える、顔がほてる、多汗になる、太る、肌が乾燥する、シミやシワが増える、頭痛や腰痛といった症状が表れます。こうした症状を緩和し、更年期を受け入れるときにも、おっぱい体操は効果的です。閉経後は女性ホルモンに替わって副腎皮質ホルモンが機能するようになります。体力は落ちても知力は落ちないので、無理をしなければ、穏やかに過ごせる時期です。

妊娠〜授乳期

おっぱい体操で質の高い母乳に

妊娠すると、おっぱいのサイズがアップします。胸を締めつけないよう、ゆったりとしたブラジャーを選びましょう。質のよい母乳のためにも、おっぱい体操は効果的です。ただし、乳首や乳輪への刺激は子宮収縮をうながす可能性があるので控えましょう。産後は、2時間以内に初乳をあげ、その後も赤ちゃんの求めに応じて頻繁に授乳します。そうすることで授乳リズムが整ってくるのです。

更年期

- 早寝早起きをする
- 白湯を飲み、冷たいものを控える
- 高脂肪な食べ物と三白（精製した砂糖や塩、白米）を控える
- 食事量をそれまでの3分の2を目安に徐々に減らす
- おっぱい体操をする
- しっかりと五感のケアをする
- オイルケア（P92参照）をする
- 深い呼吸を心がける

出産・授乳期

- 赤ちゃんのリズムに合わせて授乳をする
- 天然水でつくった白湯を1日1.5〜2リットル飲む
- 乳製品、白砂糖、脂肪の多い食事を控える
- 携帯やパソコンの使用を控えて、目を使いすぎない
- 目以外の五感も休める

妊娠期

- 身体を冷やさない
- 消化にいいものを食べる
- 海草や全粒穀物、豆類でカルシウム、葉酸、鉄分をとる
- 五感を使いすぎず、動きすぎにも注意する
- 公園や緑のある場所へ毎日散歩して、自然と触れ合う
- 朝と夕方、深呼吸をして十分な酸素を吸い込む

職場や家庭で「名女優」になる!?

現代女性の生活習慣と女性ホルモン

肩こりや生理不順、便秘や不眠、うつ病など現代女性の多くは、さまざまな身体のトラブルを抱えています。これは、便利な生活と引き換えに、健康的だった数十年前の当たり前の生活を手放した代償です。とはいっても、今の便利さを否定するのではなく、ちょっとした心がけで健康的な生活を取り戻すことは可能です。

また、男性とともに第一線で働く人や、日々の育児や家事におわれる人は、今一度「女性として生きる」という点を意識してみましょう。男性と対等に戦う必要はありません。ホルモンのバランスさえ整っていれば、自然と女性の魅力を活かした仕事や家事はできます。

おっぱい体操でホルモンバランスが整えば、会社でも家でもストレスなく「名女優」を演じることができ、毎日の生活がもっとキラキラと輝き始めます。

現代女性の抱えるトラブル

不規則な生活

コンビニや外食が多く、遅寝遅起きの傾向もあります。

運動不足

運動不足になり、お金を払ってジムに通うのが当たり前に。

ストレス

ここ数十年、対人関係からうつ病になる人が急増しました。

食生活の西洋化

日本人の消化酵素に適さない洋食の大衆化も不調の一因。

体内に溜まる毒素

添加物などにより排毒器官である子宮に毒素が溜まります。

ファッションの変化

ブラジャーやハイヒールなどで身体を締めつけています。

ホルモンバランスを整えて男性を自然にリードする

「女性らしさ」

自分自身をしっかりコントロールできないと、男性を自然にリードするのは難しいでしょう。けれど、もともと男性は女性に育てられるもの。ホルモンバランスが整えば、イライラすることもなくなり、包み込むような懐の深さで人と接することができます。社会的にも個人的にも「女性らしさ」を存分に発揮できる心をもつことで、現代人のストレスの大半は解消されるのです。

働く女性　競うのではなくフォローする

男性化しようとするのが一番の問題。男性と女性は競争するようにできていません。女性の特性を生かして男性をリードし、フォローもできるように働くのが理想的。

主婦　1人の時間を満喫する

時間のつくり方は自分次第。午前中に家事を終え、午後から数時間は子どもと遊んだり、趣味など自分の好きなことをしてメリハリのある生活を心がけましょう。

ホルモン分泌の時期で使いわける

正しいブラジャーの選び方とつけ方

寄せて上げるブラジャーは、見た目に魅力的な谷間や形をつくってくれます。けれど、ワイヤーが血液やリンパ液の流れを妨げてしまうので、おっぱいがガチガチになってしまいます。28日周期のうち、プロゲステロン期とエストロゲン期で、おっぱいの大きさが変わるのを実感できているでしょうか。女性ホルモンが正常に活性化していれば、ワンサイズは変わります。だから、時期によってブラジャーを使いわけるのが理想です。

ワイヤー入りのブラはおすすめしませんが、好みやマナーもあるので、絶対にダメとはいいません。おっぱい体操によって、ふわふわのおっぱいになっていれば、ワイヤー入りのブラでも大丈夫です。ただ、週に数日はノンワイヤーのブラを選んだり、週に一度はノーブラで過ごすことが、ふわふわのおっぱいになる近道なのです。

正しいブラジャーの選び方

エストロゲン期は、血液やリンパ液の流れがよいので、ワイヤー入りのブラジャーでもOKです。しかし、プロゲステロン期は、循環が悪くなりやすいので、肩がこりやすい時期でもあります。

ワイヤー入りブラジャー

ワイヤー入りのブラジャーの中で、日本人のおっぱいに適したお椀型を選びましょう。厚いパッドは血流悪化の原因に。

ノンワイヤーブラジャー

ノンワイヤーのスポーツブラや、ブラジャーつきのキャミソールやタンクトップは、締めつけがないのでおすすめ。

正しいブラジャーのつけ方

ワイヤー入りのブラジャーを付けるときこそ、
丁寧におっぱいをカップの中に入れ込んであげましょう。
おっぱい体操で揺らして、おっぱいが自由に動くようになれば、
ブラジャーの中にすっぽりきれいに収まるようになります。

前かがみの姿勢になりましょう。姿勢を正したままつけるのは間違いです。

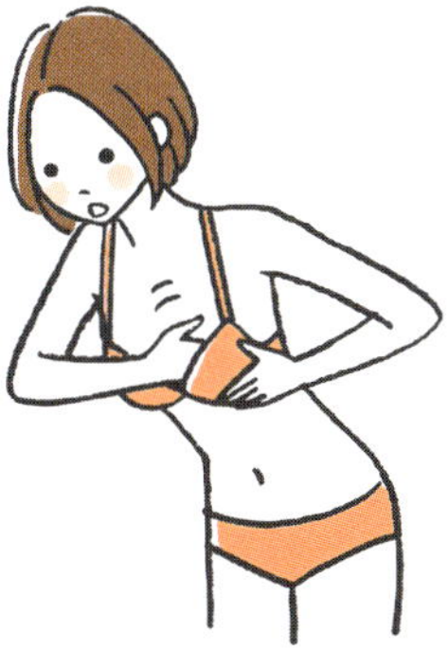

親指以外の4本の指の腹で脇からおっぱいを集めて入れ込みましょう。

フィッティングは定期的に

まずはエストロゲン期とプロゲステロン期の2回、サイズを確認しましょう。アンダー、トップ、カップのサイズだけでなく、おっぱいの下側（バージス）のサイズもチェックします。メジャーで測るだけではなく、実際にフィッティングしてみるのがおすすめです。

★フィッティングのポイント★

ポイント1
おっぱいがしっかり収まり、サイズが大きすぎず、揺れるブラジャーを選ぶ

ポイント2
ホルモン分泌の2つの時期に合わせて、2種類のサイズを把握する

ポイント3
ブラにおっぱいを合わせるのではなく、おっぱいに適したブラを選ぶ

身体を温め、消化力を助ける

女性にやさしく手軽な「白湯」を飲む

身体には水分が必要不可欠です。せっかくとるなら、女性の身体によい水分を補給してあげましょう。お茶やジュース、コーヒーにはカフェインや糖分が入っていますし、冷たい水は身体を冷やし、消化力を下げてしまいます。そこで、おすすめなのが、よく加熱された白湯（お湯）。白湯は消化機能を整えてくれる、手軽で優れた飲み物です。

白湯のメリット

- 身体を温める
- 唾液を誘発し、消化機能を高める
- 血中の老廃物や毒素の排出を助ける
- 腸内のガス発生を抑える
- 授乳のときには、白湯で身体を温めて、循環をうながすことで母乳の分泌を助ける

ちょっと冷めるけど、タンブラーで携帯するのもおすすめ

白湯のつくり方

水をたっぷり入れたやかんを火にかけて、15分くらい沸騰させて煮詰めます。有害物質を取り除くために、フタは開けたままにしておくのが、ポイントです。東洋医学やアーユルヴェーダでは、最初に入れた水の量から1/2まで煮詰めた白湯は「便秘の薬」、さらに、1/4まで煮詰めた白湯は「万能薬」といい伝えられています。

白湯の飲み方

白湯は、朝昼晩の食前や入浴前に100 ～ 500cc飲みます。熱いお湯をすすって、舌の上で温度調節をしてから飲むようにしましょう。水分補給よりも細胞の粘膜をうるおすために飲むので、ゴクゴク飲まずに、すするように飲むのがポイント。また体質によって適温があるので、チェックしておきましょう。

体質別の適温

ヴァータタイプ
……70 ～ 80度
ピッタタイプ
……40 ～ 50度
カパタイプ
……90 ～100度

生理周期による飲み方

エストロゲン期は低温期で、プロゲステロン期が高温期になります。低温期には、身体が冷えやすいため、意識して白湯を飲みましょう。しょうがやシナモン、さんしょうなどを入れて、身体を温めることを心がけるようにします。一方、高温期には、体質別で適温とされている温度を心がければOKです。

低温期と高温期の心得

- 低温期は身体が冷えやすいので一日3回はしょうがをプラスして飲む
- 高温期は、体質別の適温を心がける

メンテナンスタイムを大切にする

ぐっすり睡眠で「早寝早起き」

女性ホルモンの分泌が活発になるのは、深い眠りのとき。だから、“質のよい睡眠”は女性にとって大切なことなのです。睡眠のリズムが乱れると、肌荒れや肥満、冷え症、消化力のダウンなど、悪循環のスパイラルに陥ります。質のよい睡眠は、代謝や回復力のアップ、美容などに効果があるので、毎日の睡眠を見直してみましょう。

質のよい睡眠をとるためには……

食事について

就寝の2時間前までに食事を終わらせる

寝る直前に食べると十分に消化されず、肥満の原因になり、睡眠も浅くなってしまいます。帰宅が遅くなるときには、夕方におにぎりなどを食べておき、帰宅後には、スープや温かい飲み物の摂取を心がけましょう。

入浴について

就寝前の入浴はぬるめのお湯に

夜は湯船につかって、身体をゆるめてあげましょう。身体が放熱するときに深い眠りにつけるので、熱すぎるお湯ではなく、38～40℃程度のぬるめのお湯で、ゆっくり身体を芯から温めるのが睡眠前には効果的です。

睡眠直前について

睡眠の30分前には五感を休ませてあげる

五感を刺激した直後は、深い眠りにつけません。だから、夜は間接照明に切り替えたり、睡眠の30分ほど前にはリラックスできる音楽やアロマオイルを選び、テレビやパソコンはオフにしてスローダウンしましょう。

心と身体のメンテナンスタイムって？

女性ホルモンの分泌をうながすのは質のよい睡眠。
22時から5時の睡眠が理想ですが、現実的には難しいもの。
遅くとも24時には寝るようにして、
週に1回でも早寝早起きを取り入れてみましょう。

22:00 ～ 2:00

身体のメンテナンスタイム

深夜の深い眠りに入ったときに、身体と神経を回復させる成長ホルモンが分泌されます。

2:00 ～ 6:00

心のメンテナンスタイム

深夜から早朝にかけて、心を回復させるホルモンが分泌されます。

6:00 ～ 10:00

朝はスッキリ 排毒タイム

朝は排毒タイム。シャワーを浴びたり、ストレッチやトイレタイムなどでスッキリした一日のスタートを！

授乳中は睡眠不足にならない!?

授乳中には、長時間のまとまった睡眠がとれないもの。それでも毎日健康に過ごせるのは、プロラクチンというホルモンが分泌しているから。プロラクチンが出ることで、授乳中の女性の身体は、1時間ずつの睡眠でも深く休めるしくみになっています。

肉類や乳製品を減らして

女性にやさしい「食事」は、日本食！

自ら選んで摂取した食べ物によって、あなたの身体はつくられています。食生活が偏るとコレステロールの増加やがん、高血圧などさまざまな病気の原因になってしまいます。日本人は、動物性タンパク質に対する消化酵素が、西洋人ほどありません。だから、肉類や乳製品は、摂取量を減らした方がベター。日本人に合っている食事は、やはり日本食なのです。

肉類・乳製品の性質

肉類

毎日のエネルギー源としてよく食べてしまう肉類。消化に5時間ほどかかり、代謝されずに体内に老廃物が蓄積するという欠点もあります。夜遅くに食べるのは、控えるようにしましょう。

乳製品

日本人の約8割の人が乳糖に対して耐性がないため、消化不良を起こしやすくなります。また、動物性脂肪は、消化・吸収・代謝されにくいので、飲むときは何も混ぜずに温めましょう。

女性の上手な食事のとり方

ご飯とお味噌汁でオージャスをとり込む

女性には、「オージャス」が必要不可欠で、オージャスは“生きた食べ物”にしか含まれていません。このオージャスを多く含んでいるのが、炊き立てのご飯と、つくり立てのお味噌汁。朝・晩2回は炊き立てのご飯と一緒に日本食を食べる生活を心がけましょう。

オージャスって何?

オージャスとは、アーユルヴェーダに基づく、身体を元気にする活力素のこと。身体や心を統合するホルモンのような物質で、免疫をコントロールする働きがある。

肉類や乳製品は消化のよい時間に食べる

肉類なら脂肪の少ない部位を選び、乳製品はなるべく人工的に手を加えていないものを選びます。どちらも消化のよい日中に食べるようにしましょう。また、消化酵素をもつ野菜や海藻類を摂取する肉類の3倍食べると、代謝しやすくなるのでおすすめです。

肉類は化学物質やホルモン剤を使用している

家畜の飼料に含まれる化学物質やホルモン剤は、肝臓や子宮に溜まりやすい性質があります。特に妊娠中は、お腹の赤ちゃんに悪影響が及ぶこともあるので、食材選びは慎重に。肉類を減らした分、穀類と豆類を多く食べる食生活にシフトチェンジしましょう。

忙しい女性のための

手づくり特効薬

老廃物や未消化物をできるだけ体内に残さず、毒素を排泄させる「デトックススープ」のレシピを紹介。また、携帯して使えて、身体を温めたり、消化をうながす解毒効果のある便利アイテムもチェック！

排毒スープのつくり方

排毒野菜スープ

身体の中から毒素を排出する食材と身体を内側から温めて代謝をうながす香辛料の成分を抽出した排毒滋養スープ。夜の食事にこれをプラスすれば、ダイエット効果も期待できます。

材料（1～1.5リットル分）

大根……250g
玉ねぎ……160g
にんじん……240g
キャベツ……250g
しょうが……30g
りんご……1個
粒ざんしょう……10粒
粒白こしょう……10粒
ローリエ……1枚

レシピ

1 野菜をよく洗い、皮のまま繊維に対して直角に千切りにする

2 りんごを皮のまま薄くスライスする

3 鍋に1とスパイスを入れ、ひたひたに水を加える。強火にかけ、沸騰したら弱火にする

4 10分煮たら、2を加え20～30分煮る

5 冷めるまで置くか、一晩置いてから、漉してスープだけをとる

ボイルスパイス湯

スパイスの煮出し汁で野菜や豆腐をゆでたメニューは、解毒・消毒効果や、消化吸収をうながす効果もあります。できあがったスパイス湯は、冷蔵庫で2～3日保存できます。

材料（水4リットルに対して）

オールスパイス……5粒
粒ざんしょう……5粒
粒白こしょう……10粒
イエローマスタード粒
……小さじ1/2
コリアンダーシード
……小さじ1/2
赤唐辛子……1本
ローリエ……1～2枚
塩……少々
お茶出し用のパック

レシピ

1 スパイスをお茶出し用のパックに入れる

2 水4リットルにスパイスを入れて、弱火で沸騰させ、少し色がついたら火をとめる

携帯できる便利なアイテム

［ 消化促進しょうがスライス ］

スライスしたしょうがに岩塩とレモン汁をかけたものを、食事の30分前に2～3枚食べると、消化をうながし解毒効果が高くなります。

［ しょうがのハチミツ漬け ］

しょうがをスライスしてハチミツに漬けたものを、保存容器に入れて携帯しましょう。毎食の前に食べると消化解毒効果が高くなります。

［ お手軽丸薬 ］

粉こしょう、しょうがの粉、長ごしょうを1：1：1の割合で混ぜ合わせます。これをハチミツかメープルシロップと合わせて丸めて携帯しましょう。食前に食べると、毒になりにくい効果があります。

※長ごしょうはインターネットで購入できます。

［ お手軽パウダー１ ］

しょうが、さんしょう、こしょうを2：1：1の割合で混ぜ合わせます。携帯して、外食時のサラダや冷たいもの、肉、スープなどにかけて食べましょう。消化力をアップしてくれる働きがあります。

［ お手軽パウダー２ ］

シナモン、しょうがを1:1の割合で混ぜ合わせます。紅茶やコーヒーなどのドリンク類に入れて飲むと、消化力をアップしてくれます。

［ お手軽パウダー３ ］

シナモン、しょうが、黒砂糖を1：1：5の割合で混ぜ合わせます。ドリンク類に入れると、消化力がアップします。ヴァータタイプにおすすめです。

夜は湯船、朝はシャワーで

心と身体に効く タイプ別「入浴法」

日本人はカパの性が強いので、汗をかきにくい傾向があります。だから、夜はゆっくり湯船につかって発汗をうながすのがおすすめ。朝は、スッキリがキーワードなので、シャワーで身体を温めて目覚めさせてあげましょう。また、体質によって入浴方法も違ってくるので、自分に合った温度や入浴時間を参考にして、ゆったりバスタイムを楽しみましょう。

入浴のメリット

筋力がアップする

湯船の中では、浮力がはたらき、関節への負担が少なくなります。だから、お風呂の中でおっぱい体操やストレッチを行うと、ストレッチだけでなく、筋力アップにも効果的なのです。

血行がよくなる

湯船につかると身体に水圧がかかり、静脈やリンパ管が圧迫されます。そして、お湯から上がり圧力がなくなると、毛細血管に一気に血液が流れ、血行がよくなります。

リラックス効果がある

ぬるめのお湯にゆっくりつかると芯まで温まり、緊張していた筋肉がゆるんで身体がほぐれます。そうすることで自律神経が整い、リラックス効果が得られるのです。

タイプ別入浴法

ヴァータ、ピッタ、カパのそれぞれの体質によって、タイプごとに合う入浴方法が変わってきます。それぞれに、ベストなお湯の温度や入浴時間が異なってくるので、自分に合った入浴法を知って、毎日のバスタイムで心がけるようにしましょう。

ヴァータタイプ

白湯を飲んで身体の循環をアップ

- 身体と神経をゆるめる入浴
- ぬるめのお湯でゆっくり温める
- 寝る30～40分前に、ゆったり入る

ピッタタイプ

疲労の原因になるので長湯はさける

- 身体と神経をクールダウンさせる入浴
- ぬるめのお湯にさっと入る
- 身体が暑くなりやすいので長湯はさける

カパタイプ

入浴によって刺激を与える

- 身体や神経に刺激を与える入浴
- 少し熱めのお湯に入る
- あがる前に強くて熱いシャワーを浴びる

朝と夜の入浴法

体質別の違いはありますが、夜はゆったりくつろぐことが大切です。一方、朝はスッキリ、さっぱりするためにシャワーが効果的です。

夜はじんわり汗を出す半身浴がおすすめ

夜は身体をゆるめるため、湯船につかるのがおすすめです。このとき、上半身までつからずに半身浴で、じんわり汗が出る程度が質のよい睡眠にもつながります。

朝はシャワーでスッキリ、さっぱりと

身体をスッキリ目覚めさせてあげましょう。ヴァータは、朝の入浴もおすすめ。ピッタはシャワーでさっぱり、カパは熱めのシャワーで全身に刺激を与えましょう。

“冷え”の悪循環を改善する

女性に欠かせない「冷えない身体」づくり

手足がいつも冷たい人以外に、手足がほてったり、生理痛が重い人も、内臓が冷えている証拠。身体が冷えると毛細血管が縮んで血流が悪くなります。そして、栄養分や酸素の運搬と老廃物の排出がスムーズに行われなくなり、代謝が悪くなります。代謝が悪くなるとさらに身体が冷えて、悪循環に陥ってしまうので、冷えない身体づくりを今日から始めましょう。

身体を冷やさない６つの法則

法則 1

食べすぎは血行不良の原因になる

食べすぎると、身体は消化をするために全身の血液を胃腸に集中させます。そのため、末端まで血液が行き渡らなくなり、血液の循環が悪くなるのです。

法則 2

人肌で心から温まるペアマッサージ

「手当て」といわれるように、人の手の温かさには傷を癒す力があるもの。「ペアマッサージ（P60参照）」によって、人肌で心も身体も温めてあげましょう。

法則 3

湯船につかって、身体を芯から温める

夜のバスタイムは、シャワーを浴びるだけでなく、湯船につかるようにしましょう。気持ちをリラックスさせながら身体を芯から温めて、全身の血液循環をよくしてあげましょう。

法則 4

食べもの、飲みものは温かいメニューを選ぶ

冷たいものを食べるときは、口の中で温めながら食べる心がけが大切です。冷水は控えて、白湯（P76参照）や、特効薬（P82参照）で身体を冷やさないようにしましょう。

法則 5

三首と下腹を温める小物使いをする

「三首」とは首、手首、足首のこと。寒いときは、この三首をストールや手袋などを使って、冷やさないようにします。また、下腹は常に保温が必要です。腹巻きで温めましょう。

法則 6

温めて、毒素も排出するガルシャナマッサージ

「ガルシャナマッサージ（P54参照）」は、毛細血管を刺激するので、血液循環をよくしてくれます。また、絹には肌を補正したり、身体の毒素を排出しやすくする効果があります。

“快便”な身体を取り戻す

タイプ別でスッキリ「便秘解消法」

便秘に悩む女性は多いもの。実は、便秘には大きく２つのタイプがあるのを知っているでしょうか？　カパタイプはねっとり便、ヴァータタイプはコロコロ便になります。それぞれケアの方法が異なるので、自分に合った解消法を知ることから始めましょう。便秘だからと無理矢理出すのではなく、毎朝、自然に便が出る体質を取り戻すことが大切です。

まずは、快便チェック！

次の7つの項目のうち、すべてにチェックが入れば、便秘の心配はないはず。
チェックできなかった人は、かくれ便秘かもしれません。

Let's Check!

- □ 毎朝出る
- □ 朝の早い時間に出る
- □ 便に臭いがあまりない
- □ 色が濃すぎない
- □ 適度な硬さがある
- □ バナナ状の形をしている
- □ 水に浮いている

タイプ別解消法

カパタイプ・ねっとり便

食べすぎによる未消化物によって、腸が重くなり、動きが停滞している

- 消化の負担になるケーキやお菓子、乳製品のとりすぎに注意します。特にヨーグルトは控えましょう。
- 食事は、昼食をしっかり食べて、朝と夜は軽めにしましょう。特に夜は肉や油ものを控えましょう。
- 排毒をうながすスパイス（P83参照）を使ったり、白湯を頻繁にとって、消化力をアップしましょう。
- カパタイプは、身体をねじると代謝がアップします。また、腹部をねじることで、排毒効果があります。
- たっぷり食べて出すのはカパタイプには効果がありません。むしろ食事の量を減らすことが大切です。

ヴァータタイプ・コロコロ便

水分不足や、心と身体の緊張、環境の変化などが便秘の原因

- 冷たいものや乾燥したもの、苦味、渋味のあるものは避けましょう。また、生野菜も控えましょう。
- 寝る30分前ほど前に、くず湯など身体を内側から温めるものを摂取するのがおすすめです。
- ボイルスパイス湯（P82参照）でゆでた、消化しやすく、アクを抜いた野菜を食べると効果的です。
- 朝起きたら、岩塩をひとつまみ入れたぬるま湯をコップ1杯飲む習慣を始めてみましょう。
- 朝食のメニューは、やわらかめに炊いたご飯と具だくさんのお味噌汁にしましょう。

※ピッタタイプは便秘になりにくい体質です。しかし、食べすぎると下痢になりやすいので、注意しましょう。

便秘に効く食べもの

どちらのタイプでも共通して便秘解消になるのが、朝の白湯と炊きたてのご飯です。朝は白湯で身体を温め、トイレタイムをつくれるよう、少し早めに起きる生活に変えましょう。穀物中心の生活も便通を整えるので、雑穀入りご飯を毎日食べるのも大切です。

女性らしいたたずまいが、ゆがみを補正

身体が元気になる、正しい姿勢

肩こりや冷え症、垂れたおっぱいに悩む人の多くは、姿勢がゆがんでいる傾向があります。おっぱい体操をすると改善されますが、一日の長い時間をゆがんだ姿勢で過ごしていては、効果が表れるまでに時間がかかってしまうのは当たり前です。一日に1度、正座をするのが、姿勢を正すのにおすすめです。正座から、足の裏を立てて、中腰になって立ち上がる一連の動作をよろけずにできれば、日常生活に必要な筋肉のバランスが整っているというバロメーターになります。

今まで意識していなかった、ふだんの歩き方や座り方を思い返してみましょう。ふと気づいたときに正すよう意識するだけで、骨盤の開きや、冷えきった子宮と卵巣、肩こりや垂れたおっぱいも改善されていきます。女性らしい立ち居振る舞いで、健康的な生活を送りましょう。

正しい姿勢とは

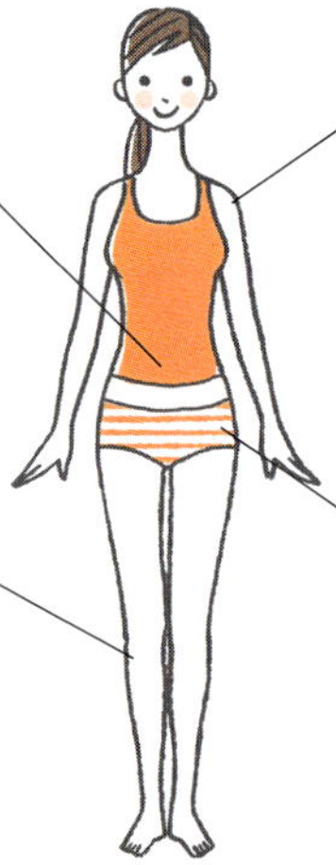

おなか
丹田に力を入れて、お腹をキュッと締めるよう意識すると、ぽっこりお腹の改善にもなります。
肩
肩に力が入っていると、肩こりの原因になります。肩の力は抜いて生活しましょう。
ひざ・かかと
ひざとかかとがつくのが正しい姿勢です。脚の内側の筋肉を意識しましょう。
おしり
おしりの穴をキュッと締めるよう意識すると、自然と姿勢がよくなります。

正しい歩き方

姿勢を正して、凛として歩いている女性は魅力的です。背筋を伸ばして肩の力を抜き、正しい姿勢で胸を張って歩くよう心がけましょう。

- あごを少しひく
- 自分の歩幅で歩く
- かかとをつけて歩く

正しい座り方

電車の中や、家や会社などで座っている時間が一日の中でも一番長い人が多いはず。脚を閉じて卵巣を冷やさない姿勢をキープしましょう。

- 脚を閉じる
- 深く座らない
- 肩の力を抜く

五感がスッキリ、イキイキする

自分でできるオイルケア

おっぱい体操や、生活習慣の見直しとともに、プラスアルファでやってほしいのが、「オイルケア」です。鼻や耳、口にオイルを入れるのは、抵抗があるかもしれません。しかし、アーユルヴェーダの考えでは、オイルを身体につけるのは自然なことです。また、使用するオイルは食用油なので、身体に安心です。

五感をつかさどる、耳や鼻、口にオイルをつけると、五感がイキイキします。これは、五感と脳がダイレクトにつながっているからです。また、ここで紹介するマッサージは、ツボの多い部分を刺激するので、全身にアプローチもできるのです。

キュアリングオイルは、半年ほど保存ができます。毎日のお風呂の前などに、ほんの数分でできる手軽なオイルマッサージを取り入れてみましょう。

キュアリングオイルのつくり方

油を加熱処理して酸化しにくくすることを「キュアリング」と呼びます。半年ほど保存できるので、つくり置きをします。

［用意するもの］

- 生のごま油（茶色ではなく透明の未焙煎のもの）
- 鍋
- 油用の温度計
- 漏斗
- 密閉容器（煮沸消毒したもの）

［つくり方］

1. 鍋に密閉容器に入る量の油を入れ、強火にかける
2. 油が温まってきたら、弱火で熱する
3. 80～90度くらいになったら火を止める
4. 余熱で100～120度まで熱する
5. 十分に冷めてから漏斗で容器に移し替える

耳のオイルマッサージ

耳にオイルを入れる

耳は自律神経と密接に関わりのある器官です。耳には、ヴァータのバランスを整える効果もあるので、毎日のセルフケアに取り入れましょう。

1

指にオイルをつけ、耳の穴に垂らして、浸透させる

2

1時間以上たったら、綿棒でふきとる

マッサージ

耳を刺激すると、全身をマッサージしているのと同じような効果があります。また、自律神経のはたらきを改善して、神経系を活発にする作用もあります。

1

指先にオイルをつけ、耳全体に塗る。親指と人差し指で、耳の軟骨や耳たぶを引っ張ったり、さすったりする

2

耳たぶの後ろの骨のない部分を両手の中指でぐっと押さえる

3

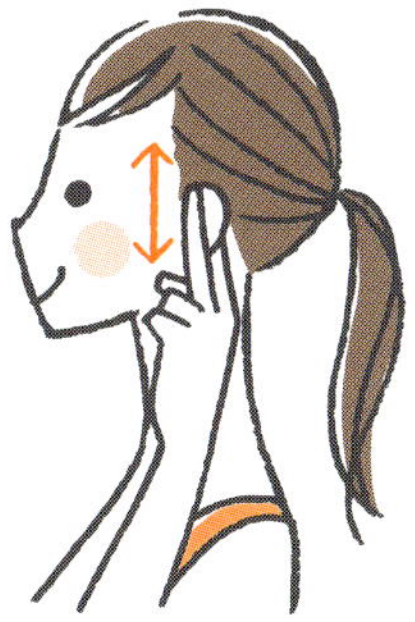

人差し指と中指で耳を挟んで、手を上下させて耳全体を刺激する

口のオイルうがい

口の中にオイルをふくむと、内側からじんわり浸透して、唾液の分泌をうながし、歯槽膿漏や視力回復にも効果があります。解毒効果があるので朝がおすすめ。

1

口の中に30～40ccほどのオイルをふくむ。右ほほ、前歯の上、左ほほと、あごをふくらますようにして、オイルを口全体に行き渡らせる

2

3～5分ほど、口の中全体にオイルを浸透させる。油なので、ビニール袋などに捨て、ぬるま湯ですすぐ

鼻にオイルを入れる

鼻の健康は脳を若返らせる効果があります。花粉症や鼻炎、白髪予防にもおすすめです。点眼用の容器にオイルを入れると使いやすくなります。

1

片方の鼻を指で押さえて頭を後ろにそらし、もう片方の鼻にオイルを2滴入れる。そのままゆっくり吸い込み、粘膜にオイルがしみこんでいくのを意識しながら、静かに2～3秒呼吸する

2

もう一方の鼻も同様におこなう。鼻に入ったオイルは老廃物をふくんでいるので、飲まないようにしてぬるま湯で口をすすぐ

※風邪など、鼻水が出ているときは控えましょう。

足のオイルマッサージ

足には、全身のツボが集中しています。気持ちいいと思うくらいの強さで、マッサージをしましょう。一日の疲れをとるお風呂の前に行うのがおすすめです。

1

足にたっぷりとオイルをなじませ、手の指を足の指に挟んで、甲のほうに滑らせる

2

もう一方の手の指を足裏のほうから足の指に挟み、手を引いて足裏に滑らせる

3

足の指1本1本を引っ張り、動かす。足の指の間に手の指を入れ、オイルを浸透させる

4

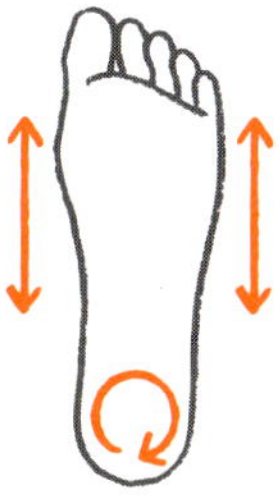

両手で足をつかむように全体をマッサージし、次にかかとを包むようにマッサージする

疲れた身体を癒す「オイル・ピチュ」

部分的にオイルケアを浸透させることを「オイル・ピチュ」と呼びます。コットンにオイルをたっぷりと浸して、頭頂や額、耳、乳頭、下腹部、会陰などに15～20分のせておきます。老廃物の排出や、血液とリンパ液の流れをよくする効果があります。

神藤多喜子　Takiko Shindo

ウェルネスライフ研究所所長、母と子のウェルネス研究会理事、日本アーユルヴェーダ学会会員。北九州市立病院産婦人科病棟師長、出張開業助産師を経て、ウェルネスライフ研究所を開設。一貫して自然育児推進、特に母乳哺育に力を入れ、おっぱい体操、マンモリラクゼーション、母子マッサージなど、研究指導を行う。アーユルヴェーダの体質論に基づいた個別指導、排毒法も取り入れ実践。現在、研究所、および各地域でマンモセラピー講座、アーユルヴェーディック・ウェルネスライフ講座を開講中。著書に、『きれいをつくる　おっぱい体操』（池田書店）、『アーユルヴェーダ式　マタニティ健康法』（PHP 研究所）がある。

ウェルネスライフ研究所　http://www9.ocn.ne.jp/~wellness/

プチブレスト（ガルシャナ手袋販売）　http://www.petitbreast.com/

モデル	増田奈津美（オスカープロモーション）
スチール撮影	北原千恵美
ヘアメイク	太田絢子
衣装協力	スリア
撮影協力	アワビーズ
イラスト	内田深雪
DVD 編集制作	株式会社トランスデュース（樋口実　宮内誠）
ナレーション（DVD）	羽鳥美由希
編集協力	山森京子
デザイン	山田素子（STUDIO DUNK）
編集	吉良亜希子（STUDIO PORTO）

DVD 収録時間　約78分

＊本書に付属の DVD は、図書館およびそれに準ずる施設において、館外へ貸し出すことを許可します

DVD でよくわかる
きれいをつくる　おっぱい体操

●協定により検印省略

著　者　神藤多喜子

発行者　池田　豊

印刷所　凸版印刷株式会社

製本所　凸版印刷株式会社

発行所　株式会社池田書店

〒162-0851　東京都新宿区弁天町 43 番地

電話 03-3267-6821（代）／振替 00120-9-60072

落丁・乱丁はおとりかえいたします。

ISBN978-4-262-16487-8

1102005